Christoph Gror
Paul Lohkemp
Robert Schwar

RHEIN-RUHR STADTBAHN ALBUM 2

Gelsenkirchen, Bochum, Herne, Dortmund + *Special* Bielefeld

Light Rail Networks in the Rhine-Ruhr Area Vol. 2

Berlin
2006

Christoph Groneck, Paul Lohkemper, Robert Schwandl

RHEIN-RUHR STADTBAHN ALBUM 2

Gelsenkirchen, Bochum, Herne, Dortmund + *Special* Bielefeld

Light Rail Networks in the Rhine-Ruhr Area - Vol. 2

Nahverkehr in Deutschland - 5
Urban Transport in Germany - 5

Unser Dank für ihre Hilfe geht an:
Dirk Budach, Fritz D. Kegel, Mathias Keuchel, Norbert Reulke, Bernhard Spliedt & Felix Thoma

Für ihre freundliche Unterstützung danken wir dem Stadtbahnbauamt Dortmund, den Dortmunder Stadtwerken (DSW21), der BOGESTRA und moBiel.

Robert Schwandl Verlag
Hektorstraße 3
D-10711 Berlin

Tel. +49 (0) 30 - 3759 1284
Fax +49 (0) 30 - 3759 1285

www.robert-schwandl.de
info@robert-schwandl.de

1. Auflage, 2006

English Text by Robert Schwandl & Mark Davies

Satz: Robert Schwandl
Druck: Ruksaldruck Berlin

ISBN 3-936573-08-5

Vorwort

Nachdem wir im April 2005 den ersten Band des ‚Rhein-Ruhr Stadtbahn Albums' mit den Städten Düsseldorf, Duisburg, Mülheim, Oberhausen und Essen herausgebracht haben, möchten wir Sie nun in das östliche Ruhrgebiet führen, wo wir Ihnen die Stadtbahnen von Gelsenkirchen, Herne, Bochum und Dortmund vorstellen möchten. Auch in diesem Bereich gibt es keine ‚richtigen' U-Bahnen, aber manche Abschnitte und Bahnhöfe sehen sehr danach aus. Besonders auf der U35 und auf der zweiten Stammstrecke in Dortmund findet man manch beeindruckende unterirdische Station.

Als Zugabe liefern wir Ihnen ein Sonderkapitel über die Stadtbahn in Bielefeld. Die ostwestfälische Stadt liegt etwa 100 km östlich von Dortmund, also weitab vom Rhein-Ruhr-Gebiet, trotzdem bestehen viele Ähnlichkeiten, wurde doch auch diese Stadtbahn nach den Richtlinien des Landes Nordrhein-Westfalen gebaut.

Mit dem im Dezember 2005 erschienenen ‚Köln/Bonn Stadtbahn Album' von Christoph Groneck ist somit die Trilogie über Stadtbahnen in Nordrhein-Westfalen abgeschlossen, mittelfristig geplant sind weitere Bände über die Wuppertaler Schwebebahn sowie die S-Bahn in den Verkehrsverbünden Rhein-Ruhr und Rhein-Sieg.

Wir hoffen, dass Ihnen dieser zweite Band genauso gut gefällt wie der erste und dass wir Ihr Interesse auch für andere U- bzw. Stadtbahnen in Deutschland wecken konnten.

Berlin, im Mai 2006

Robert Schwandl

Foreword

Having released the first volume of the 'Rhein-Ruhr Stadtbahn Album' in April 2005, which covered the cities of Düsseldorf, Duisburg, Mülheim, Oberhausen and Essen, we would like to take you to the eastern Ruhr District to discover the Stadtbahn systems of Gelsenkirchen, Herne, Bochum and Dortmund. There are no 'real' metros in this area either, but there are several stretches with the appearance of one. Along U35 and the second trunk route in Dortmund, in particular, some outstanding underground stations can be found.

In this book we have included a special chapter on the Stadtbahn in Bielefeld, a city about 100 km east of Dortmund, and thus far from the Rhine-Ruhr Area. Its Stadtbahn, however, was built following the same guidelines established by the state of North-Rhine - Westphalia.

Together with the 'Köln/Bonn Stadtbahn Album' written by Christoph Groneck and published in December 2005, the trilogy on Stadtbahn systems in North-Rhine - Westphalia has now been completed. A further pair of volumes are planned for publication in the mid-term future, one of these dedicated to the Wuppertal Schwebebahn, and the other to the S-Bahn network in the Rhine-Ruhr and Rhine-Sieg areas.

We hope that you enjoy this second volume as much as you enjoyed the first one, and that we have aroused your interest in the metro and Stadtbahn systems of other German cities.

Berlin, May 2006

Robert Schwandl

Inhalt *Contents*

EINLEITUNG

Ende der sechziger Jahre wurde für das Ruhrgebiet und die angrenzenden Städte ein umfangreiches U-Bahn-Netz entworfen, welches neben der S-Bahn als zweites übergeordnetes Nahverkehrssystem im Norden bis Dinslaken, im Westen bis Krefeld, im Süden bis Düsseldorf-Benrath und im Osten bis Dortmund führen sollte. Unter dem Projektnamen „Stadtbahn Rhein-Ruhr" – ursprünglich wegen der städteverbindenden Funktion des Systems so gewählt – sahen die Planungen völlig kreuzungsfreie Strecken, 110 m lange Züge, Stromschienenbetrieb und eine Netzgröße von rund 300 km vor, verwirklicht werden sollte das Ganze bis zur Jahrtausendwende.
Verschiedenste Gründe, näher beleuchtet im ersten Teil dieses Werkes, sollten dazu führen, dass das Stadtbahnnetz in seiner ursprünglich geplanten Form bis heute eine Fiktion geblieben ist. Der angestrebte echte U-Bahn-Betrieb auf allen Linien in Tunneln, über Viadukte oder kreuzungsfrei im Gelände wurde zugunsten der sukzessiven Entwicklung des Stadtbahnnetzes aus der vorhandenen Straßenbahn heraus zurückgestellt. Damit verkehren heute in einigen fertigen Stadtbahnanlagen weiterhin Straßenbahnzüge („Vorlaufender Straßenbahnbetrieb"), im mittleren Ruhrgebiet über Meterspurgleise, auf der anderen Seite fahren Stadtbahnzüge im Anschluss an fertige Anlagen vielfach über angepasste, nicht kreuzungsfreie Oberflächenstrecken weiter („Vorlaufender Stadtbahnbetrieb"). Der als Mischfahrzeug für U-Bahn- und vorlaufenden Stadtbahnbetrieb entworfene B-Wagen ist bis heute das Standardfahr-

Dortmund - U42 Hombruch Hallenbad

In the late 1960s an extensive metro network was planned for the Ruhr District and its neighbouring towns. It was to complement the S-Bahn system and extend from Dinslaken in the north to Düsseldorf-Benrath in the south, and from Krefeld in the west to Dortmund in the east. To stress its function as a link between different cities it was referred to as the 'Stadtbahn Rhein-Ruhr'. The project envisaged totally grade-separated routes for 110 m long trains, with

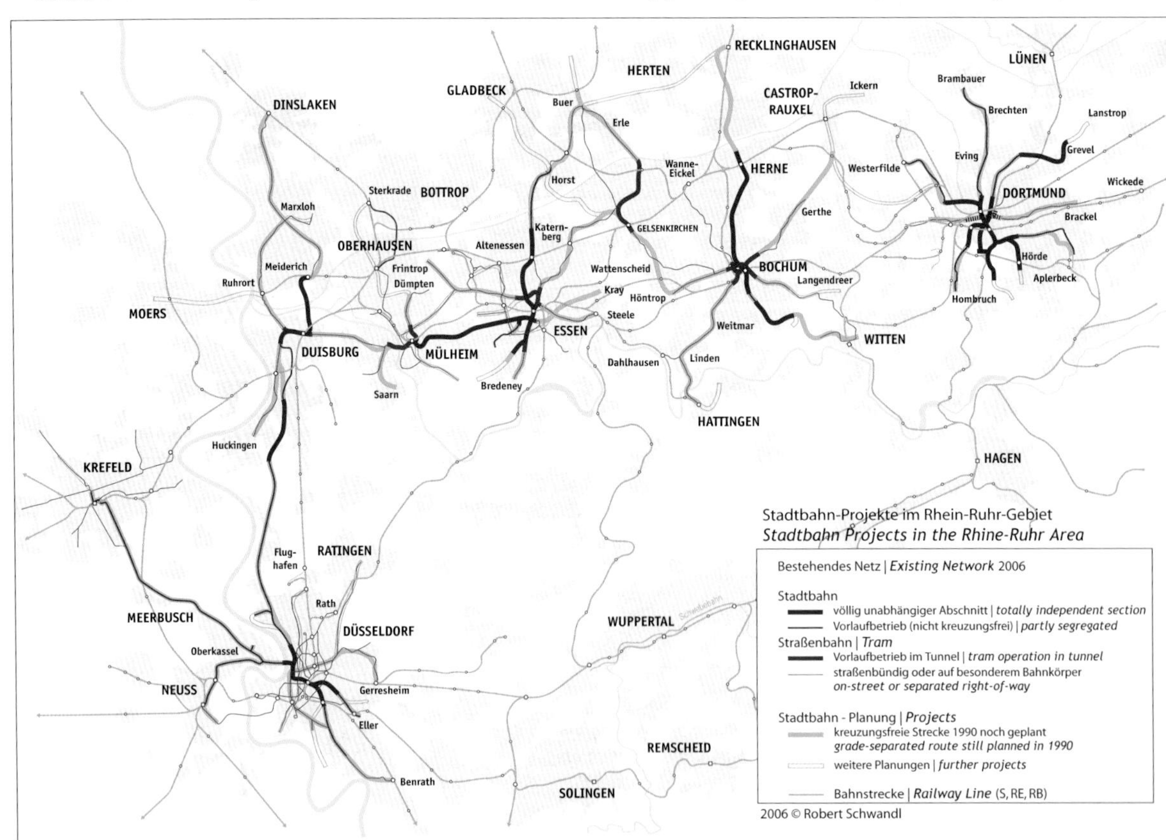

zeug der Stadtbahn Rhein-Ruhr, der ursprünglich vorgesehene A-Wagen als reines U-Bahn-Fahrzeug kam hingegen nie über Vorentwürfe hinaus. In den siebziger Jahren wurde mit dem Bau der Stadtbahn an vielen Stellen gleichzeitig begonnen. Dies führte zu den voneinander isolierten Betriebsbereichen Düsseldorf/Duisburg, Mülheim/Essen, Gelsenkirchen, Bochum und Dortmund. Bis Anfang der neunziger Jahre wurde an einer möglichst baldigen Verknüpfung dieser Betriebsbereiche festgehalten – auch wenn die ursprüngliche Gesamtnetzplanung zu diesem Zeitpunkt bereits deutlich zusammengestrichen worden war. Finanzprobleme sowie die verkehrspolitische Wiederentdeckung der Straßenbahn ließen aber auch dieses Minimalziel letztendlich scheitern, und derzeit ist der Bau weiterer Stadtbahnstrecken abgesehen von rein lokal bezogenen Maßnahmen in Düsseldorf und Dortmund praktisch zum Erliegen gekommen. Der nebenstehende Plan bietet einen Überblick, was bis in die neunziger Jahre konkret geplant war und letztendlich davon realisiert wurde. Die als „weitere Planungen“ dargestellten Strecken bieten eine Idee davon, welche weiteren Maßnahmen in oft wechselnden Entwürfen besonders in früheren Phasen des Projektes diskutiert wurden.

Gelsenkirchen - 301 Leipziger Straße

power supply via a third rail. A network with a total length of 300 km was to be completed by 2000. For various reasons, which are dealt with in detail in the first volume of this book, the original concept has not been realised. The idea of full metro operation, either in tunnels, on viaducts or at grade on grade-separated rights-of-way, has been given up, and 'premetro' operation has instead become the norm, which allows completed tunnels or surface routes to be used by trams or Stadtbahn vehicles which at the same time also operate on adapted surface routes not entirely grade-separated. The B-car, a mixture of tram and metro vehicle, has remained the standard type of rolling stock used in the Ruhr District, whereas the originally planned A-car, a proper metro vehicle, was never built.
During the 1970s, Stadtbahn construction began simultaneously in various cities, which led to isolated networks in Düsseldorf/Duisburg, Mülheim/Essen, Gelsenkirchen, Bochum and Dortmund. Up until the early 1990s, the completion of an overall network linking the different cities was still planned, though already in a reduced form. Due to financial problems and a revival of the conventional tramway, Stadtbahn construction eventually came to a halt, and at present only local projects in Düsseldorf and Dortmund are being pursued. The map on the facing page illustrates the once ambitious projects in relation to what has actually been realised. Those stretches marked 'further projects' show that a number of different proposals have been made, especially during the early years.

Bochum - U35 Deutsches Bergbau-Museum

BOCHUM/GELSENKIRCHEN

U35 Feldsieper Straße

Während im westlichen Ruhrgebiet derzeit noch in allen kreisfreien Städten eigene Verkehrsunternehmen vorhanden sind und Fusionsbestrebungen erst in jüngerer Zeit aktuell wurden, sieht dies weiter östlich anders aus: Bereits seit Beginn des Straßenbahnzeitalters gibt es im Gebiet zwischen Essen und Dortmund die Bochum-Gelsenkirchener Straßenbahnen AG, kurz BOGESTRA, welche für den Nahverkehr in den benachbarten Städten Bochum und Gelsenkirchen zuständig ist. Daneben betreibt die Gesellschaft auch zwei Schienenstrecken von Bochum nach Herne. Im Süden schließlich reicht der Einflussbereich der BOGESTRA bis in den angrenzenden Ennepe-Ruhr-Kreis. Betrieblich lässt sich das Schienennetz der BOGESTRA in die beiden miteinander verbundenen Teilbereiche Bochum/Herne sowie Gelsenkirchen aufteilen.
Bochum ist mit knapp 390.000 Einwohnern die größte Stadt des BOGESTRA-Gebiets und außerdem landesplanerisch neben Duisburg, Essen und Dortmund eines der vier Oberzentren des Ruhrgebiets. Das heutige Stadtgebiet entstand 1975 mit der Eingemeindung der vormals selbstständigen Nachbarstadt Wattenscheid. Kohlezechen gibt es in Bochum seit den siebziger Jahren nicht mehr, gleichwohl ist die Stadt weiterhin ein bedeutendes Industriezentrum – bekannt sind hierbei vor allem die Opel-Werke. Ähnlich wie in Essen ist das südliche Stadtgebiet hügeliger und aufgelockerter bebaut als das nördliche.
Gelsenkirchen hat derzeit gut 270.000 Einwohner und liegt nordwestlich von Bochum im Städteband der Emscherzone entlang der Köln-Mindener Eisenbahn. Gegenüber den weiter südlich liegenden Oberzentren leidet dieser Bereich heute deutlich mehr an den Folgen des industriellen Strukturwandels. Ähnlich wie Oberhausen ist Gelsenkirchen durch die Emscher und den Rhein-Herne-Kanal zweigeteilt. Der südliche Bereich mit dem Gelsenkirchener Stadtkern ist industriell geprägt, der nördliche mit dem Subzentrum Buer wirkt dagegen deutlich ländlicher. In den beiden etwa gleichwertigen Zentren hat sich die einstige Selbstständigkeit beider Städte bis heute erhalten. In der weniger besiedelten geografischen Mitte zwischen den beiden Zentren liegt die neue Veltins-Arena, auch als Arena Auf Schalke bekannt.

Whereas in the western Ruhr District each city maintains its own public transport company and their merging has only been an issue in recent times, things have been different further east. Since the early days of tram operation, the BOGESTRA, the 'Bochum-Gelsenkirchener Straßenbahnen AG', has been in charge of public transport both in Gelsenkirchen as well as in Bochum. The company's rail lines extend into the city of Herne, and into the neighbouring municipalities in the Ennepe-Ruhr-Kreis south of Bochum. The BOGESTRA urban rail network can be divided into two operational areas, namely Bochum/Herne and Gelsenkirchen.
With some 390,000 inhabitants Bochum is the largest city served by the BOGESTRA, and along with Duisburg, Essen and Dortmund it is a major centre in the Ruhr District. The present city boundaries are the result of the annexation of the formerly independent town of Wattenscheid in 1975. Although all collieries had disappeared by the 1970s, the city is still an important industrial centre (e.g. Opel). Like Essen, the urban landscape is hillier and less densely populated in the south than in the north.
Gelsenkirchen has some 270,000 inhabitants and lies to the northwest of Bochum; it is one of the cities along the River Emscher and the Cologne-Minden Railway. Compared to the cities further south this area has suffered heavily from the structural changes that came with the decline of the coal industry. Like Oberhausen, Gelsenkirchen is split into two parts by the River Emscher and the Rhine-Herne-Canal. The southern part, with the Gelsenkirchen city centre, is more industrial, whereas the northern part around Buer looks more suburban. Both centres have maintained a strong independent identity. The less populated central area houses the Veltins-Arena, traditionally known as Arena Auf Schalke, one of the venues for the FIFA World Cup 2006.
The present city of Herne comprises the former cities of Herne and Wanne-Eickel, which merged in 1975 and have a current population of some 170,000. The central areas of the city are industrial and densely populated. Wanne-Eickel is an important railway junction with the largest marshalling yard in the central Ruhr District. The mainline railway divides the area into Wanne in the north and Eickel in the south.
The area south of Bochum along both sides of the River Ruhr is called the Ennepe-Ruhr-Kreis. Despite its rural appearance, coal mining began in this area in the early 19th century. Bochum is linked to this area by two tram routes, to the town of Witten (100,000 inh.) by line 310 and to Hattingen (60,000 inh.) by line 308.

Herne wurde im Zuge der Gebietsreform von 1975 aus den etwa gleich großen Städten Herne und Wanne-Eickel gebildet. Heute leben in der Doppelstadt rund 170.000 Menschen. Die zentralen Bereiche sind dicht bebaut und industriell geprägt. Wanne-Eickel hat erhebliche Bedeutung als Eisenbahnknotenpunkt und besitzt den größten Rangierbahnhof des mittleren Ruhrgebiets. Dieser stellt gleichzeitig die Trennlinie zwischen den Teilorten Wanne im Norden sowie Eickel im Süden dar.
Der südlich an Bochum angrenzende Ennepe-Ruhr-Kreis erstreckt sich beiderseits des Ruhrtals in hügeliger Landschaft. Dem ländlicheren Erscheinungsbild zum Trotz nahm hier der industrielle Kohlebergbau des Ruhrgebiets Anfang des 19. Jahrhunderts seinen Anfang. Die beiden von Straßenbahnlinien der BOGESTRA bedienten Städte Hattingen (308) und Witten (310) haben knapp 60.000 bzw. gut 100.000 Einwohner.

_ Streckennetz – Bochum

Das Bochumer Straßen- und Stadtbahnnetz besteht heute aus drei voneinander völlig unabhängigen Grundstrecken, welche im Bochumer Stadtzentrum alle unterirdisch verlaufen. Dazu kommen einige Verzweigungen. Der zentrale Knotenpunkt der drei Achsen mit zwei Bahnsteigebenen befindet sich unter dem Hauptbahnhof. Eine Verbindung mit dem Gelsenkirchener Teilnetz stellt allein die Straßenbahnlinie 302 her. Ursprünglich war das gesamte Netz meterspurig. Mit dem Stadtbahnbau kam die normalspurige Linie U35 hinzu. Diese bedient die wichtigste Nord-Süd-Achse von Herne über das Bochumer Zentrum bis zur Ruhr-Universität. Der nördliche Streckenteil liegt komplett unterirdisch, der südliche im Mittelstreifen einer Schnellstraße. Auf dieser gibt es lediglich drei Kreuzungen mit dem Straßenverkehr. Alle Stationen der U35 haben Hochbahnsteige.
Die über die beiden anderen Achsen weiterhin meterspurig verkehrenden Straßenbahnlinien besitzen im Gegensatz zur U35 lediglich Tunnelstrecken im Stadtzentrum. Von Südwest nach Nordost verlaufen die Linien 308 und 318 zwischen den Rampen Bergmannsheil und Ruhrstadion unterirdisch. Der Tunnel der Ost-West-Achse mit den Linien 302 und 310 erstreckt sich zwischen der Jahrhunderthalle sowie der Rampe Lohring. Im Hauptbahnhof verkehren die Linien 308 und 318 auf der zweigleisigen oberen Ebene, die Linien 302 und 310 dagegen im Richtungsbetrieb mit der U35 auf der viergleisigen unteren Ebene. Durch eine unterirdische Verbindungsstrecke zwischen Jahrhunderthalle und der oberen Ebene des U-Bahnhofs Hauptbahnhof sind die beiden Meterspurtunnel miteinander verbunden. Dieser Verbindungstunnel dient gleichzeitig zur Einführung der im Stadtzentrum endenden Linie 306 aus Wanne-Eickel in das Tunnelsystem. Am Rathaus hat die Linie 306 eine eigene Tunnelrampe. Unmittelbar anschließend führt sie über den U-Bahnhof Rathaus Süd der Linien 302/310 hinweg und fädelt anschließend in den Verbindungstunnel ein. Endpunkt ist die obere Bahnsteigebene der Linien 308/318 am Hauptbahnhof.
Die Außenstrecken der Straßenbahn besitzen verschiedene Erscheinungsbilder. Gut ausgebaute Abschnitte in Form längerer eigener Bahnkörper in Mittellage von Hauptverkehrsstraßen finden sich vor allem auf dem nordöstlichen Teil der Linien 308/318 in Richtung Gerthe, dem Westast der Linie 310 nach Höntrop, der südlichen Linie 308 in Hattingen, dem Mittelabschnitt der Linie 306 sowie im Bereich Laer. Ansonsten liegen die Gleise meist im Straßenpflaster. Allgemein beschränkt sich die Infrastruktur oft auf das Notwendige, an vielen Zwischenendstellen wird über einfache Gleiswechsel gewendet. Die Ortsdurchfahrt Gerthe sowie die komplette

_ The Network: Bochum

The Bochum Stadtbahn and tram network consists of three totally independent trunk routes, all of which run underground through the Bochum city centre. On outer routes there are several branches. All lines intersect at the 2-level underground station below the central railway station (Hauptbahnhof). Line 302 is the only link to the Gelsenkirchen network. Originally, the entire system had metre gauge, but now Stadtbahn line U35 has standard gauge. This line is the main north-south axis from Herne to the University via the Bochum city centre. The northern section runs underground, whereas the southern part lies on the surface in the middle strip of a dual carriageway. On this section there are only three level crossings. All stations along line U35 have high platforms.
The other two routes are still served by metre-gauge trams, with underground sections only found in the centre of Bochum. Lines 308 and 318 run from the southwest to the northeast, with ramps to the central tunnel sections at Bergmannsheil and Ruhrstadion. The tunnel for the east-west lines 302 and 310 has ramps at the Jahrhunderthalle and at Lohring. At Hauptbahnhof, lines 308/318 stop at the 2-track upper level, whereas lines 302/310 and U35 use the 4-track lower level. Both metre-gauge tunnels are linked by a service track between Jahrhunderthalle and Hauptbahnhof. Part of this link is also used by line 306 from Wanne-Eickel, which enters the tunnel system via a separate ramp at Rathaus. After passing through the underground station Rathaus (Süd), used by lines 302/310, on a perpendicular bridge, line 306 terminates on the upper level at Hauptbahnhof.
The standard of surface routes differs widely from section to section. Certain stretches with separate rights-of-way in the middle strip of roads can be seen on the route to Gerthe (308/318) and Höntrop (310), on the southernmost section to Hattingen (308), on the central section of line 306, and through Laer (302/310). The remaining sections run on-street, with very basic infrastructure and simple points at several intermediate termini. The route through Gerthe, as well as the branch to Dahlhausen, are single-track street-running sections. Other single-track sections can be found on the eastern part of line 310, and on line 306 in the area of the Hannibal Einkaufszentrum stop. At many stops, boarding is done from street level. Low-floor platforms are gradually being built along all routes.

301 Leipziger Straße

BOCHUM/GELSENKIRCHEN

Stichstrecke nach Dahlhausen sind eingleisig ohne eigenen Bahnkörper in Straßenmittellage. Weitere eingleisige Abschnitte gibt es auf weiten Teilen der östlichen Linie 310 sowie auf der Linie 306 in Höhe Hannibal Einkaufszentrum. Derzeit muss an vielen Stellen des Netzes noch von der Straßenoberfläche aus eingestiegen werden. Gleichzeitig werden aber netzweit sukzessive niederflurgerechte Bahnsteige gebaut.

_ Streckennetz – Gelsenkirchen

In Gelsenkirchen gibt es abgesehen von der normalspurigen Essener Linie U17, die das Stadtgebiet am äußersten Rand in Horst berührt, lediglich drei meterspurige Straßenbahnlinien. Gleichwohl wurden auch hier umfangreiche Tunnelanlagen für die Stadtbahn errichtet, die heute im Vorlaufbetrieb von der Straßenbahn benutzt werden.
Kernstück des Gelsenkirchener Netzes ist der in Nord-Süd-Richtung verlaufende Stammstreckentunnel in der Innenstadt, welcher alle Meterspurlinien bündelt. Das südliche Ende befindet sich am Gelsenkirchener Hauptbahnhof. Hier enden unterirdisch die Linie 301 sowie die aus Essen kommende EVAG-Linie 107. Südlich des Hauptbahnhofs wird an der Rampe Rheinelbestraße die aus Bochum kommende Linie 302 in den Tunnel eingefädelt. Am nördlichen Rand der Innenstadt in Höhe Musiktheater verlassen die Linien 107 und 302 den Tunnel wieder und verzweigen sich anschließend. Die Linie 301 bleibt dagegen zunächst unter der Oberfläche und erreicht erst an der ZOOM-Erlebniswelt wieder das Tageslicht.
Ein zweiter Knoten des Gelsenkirchener Straßenbahnnetzes befindet sich im Zentrum des nördlich gelegenen Buer. Hier treffen die beiden aus dem Gelsenkirchener Zentrum kommenden Linien 301 und 302 wieder zusammen. Die Linie 301 schwenkt anschließend zurück in südliche Richtung und trifft schließlich in Horst auf die Essener U17. Beide Linien verkehren dort ein Stück über eine gemeinsame Trasse mit Dreischienengleisen.
Während die als Expressverbindung anzusehende Linie 302 von Gelsenkirchen nach Buer komplett auf eigenem Bahnkörper liegt, durchfährt die Linie 301 im östlichen Teil nach Verlassen des Tunnels oberirdisch weitgehend auf straßenbündigem Bahnkörper die Orte Erle und Buer. Der Ausbau der oberirdischen Abschnitte zur modernen Niederflurstraßenbahn mit entsprechenden Bahnsteigen ist weit fortgeschritten. Einen kurzen eingleisigen Engpass gibt es bislang noch am Bahnhof Buer Süd, wo die Linie 301 schienengleich die Bahnstrecke nach Dorsten kreuzt.

_ Betrieb

Die U35 verkehrt unter der Woche tagsüber durchgehend im 5-Minuten-Takt, außerhalb der morgendlichen Hauptverkehrszeit fährt aber nur jeder zweite Zug über Riemke Markt hinaus nach Herne. Samstags bis gegen 15 Uhr gilt ein 10-Minuten-Takt auf der Gesamtstrecke, abends, Samstag nachmittags und sonntags ein Viertelstundentakt. Die letzten Fahrten verlassen den Bochumer Hauptbahnhof nach 1:00 Uhr, am Wochenende gibt es durchgehend stündliche Nachtfahrten – der einzige Stadtbahn-Nachtverkehr im Ruhrgebiet.
Auf den Straßenbahnlinien ist das Angebot unterschiedlich. Unter der Woche tagsüber sowie samstags bis gegen 15 Uhr fahren die Linien 301, 302, 306 und 308 im 10-Minuten-Takt sowie die Linien 310 und 318 im 20-Minuten-Takt. In den morgendlichen Hauptverkehrszeiten gibt es auf der Linie 301 zwischen Erle Forsthaus und Gelsenkirchen Hauptbahnhof

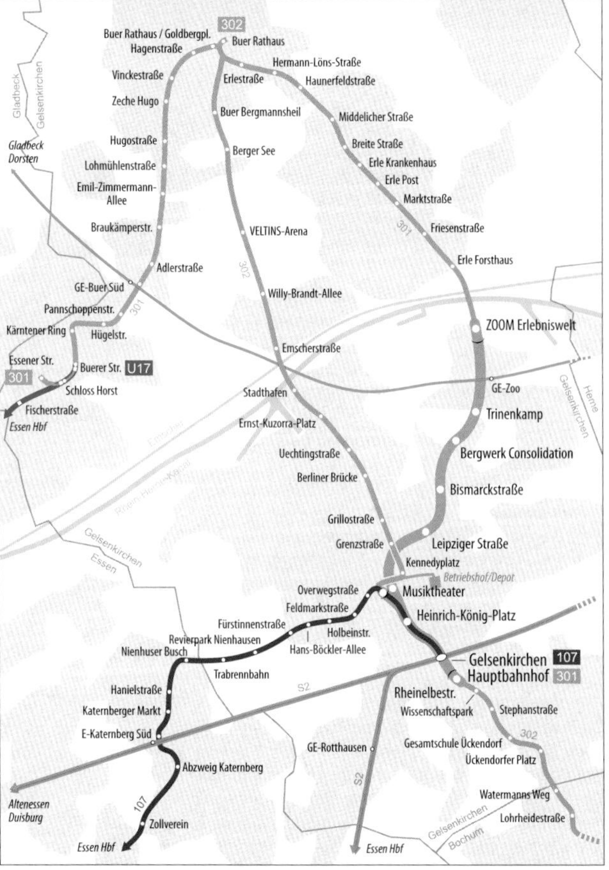

_ The Network: Gelsenkirchen

Besides the standard-gauge Stadtbahn line U17 from Essen, which only serves small parts of the Horst area, Gelsenkirchen has three metre-gauge tram lines, all of which use the surprisingly large tunnel system.
The centrepiece of the Gelsenkirchen underground network is the north-south tunnel under the city centre, which is available for all metre-gauge lines. Line 301 and line 107 from Essen terminate underground at Hauptbahnhof. Line 302 emerges from the tunnel to the south of the central station on a ramp leading to the Rheinelbestraße stop. On the northern side of the city centre, lines 107 and 302 leave the tunnel at Musiktheater before diverging in two different directions. Line 301, however, remains underground up to the tunnel portal at ZOOM-Erlebniswelt (formerly Ruhr-Zoo).
Lines 301 and 302 converge again further north at Buer. From there, line 301 heads in a southerly direction to meet line U17 from Essen at Horst. Both lines share a short section equipped with 3-rail tracks.
Whereas line 302 operates like an express tram on a separate right-of-way along the entire route from the city centre to Buer, line 301 runs on-street through Erle and Buer once it has left the tunnel. The surface route is currently being upgraded with low-floor platforms. At Buer Süd, there is a short single-track section where line 301 crosses the mainline tracks on the line to Dorsten at grade.

_ Operation

On weekdays, line U35 operates every 5 minutes between Hustadt and Riemke Markt, with every other train continuing to Schloss Strünkede, except during the morning peak

sowie der Linie 306 zwischen Hordeler Straße und Bochum Hauptbahnhof zusätzliche Kurzläufer, welche das Angebot jeweils auf einen 5-Minuten-Takt verdichten. Ebenso gibt es morgendliche Verstärkerfahrten auf der Linie 318, die

hours, when all trains run through to Herne. On Saturdays until 15:00 there is a train every 10 minutes on the entire route, and on Saturday afternoons, all evenings and on Sundays, a train every 15 minutes. The last trains leave Bochum

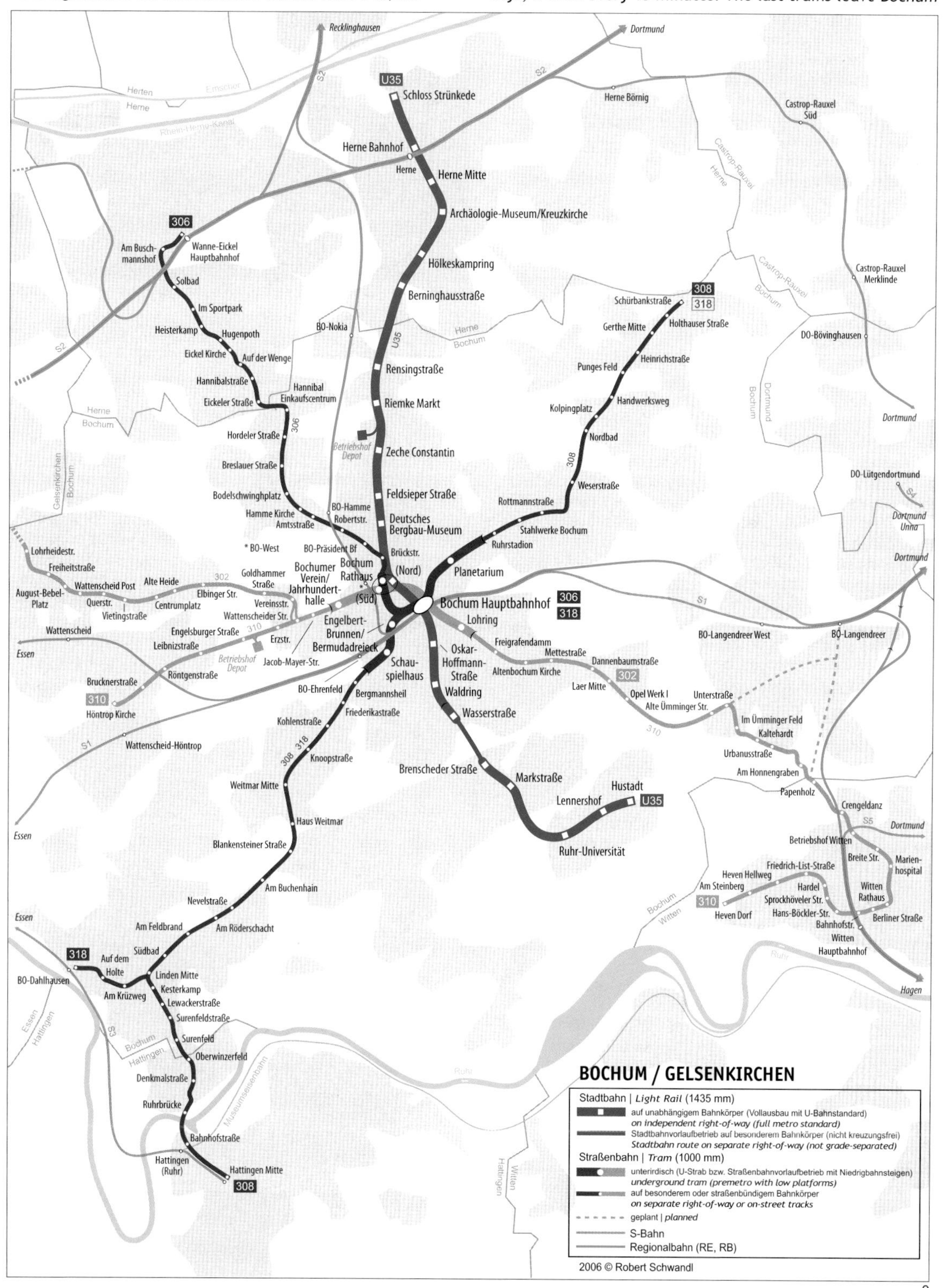

im Südwesten bis zur Haltestelle Am Röderschacht und im Nordosten bis Nordbad verkehren und zusammen mit der parallelen Linie 308 ebenfalls einen 5-Minuten-Takt bilden. Ansonsten endet die Linie 318 zu den Zeiten des 10-Minuten-Taktes der Linie 308 von Dahlhausen kommend bereits am Bochumer Hauptbahnhof.
Samstag nachmittags, sonntags und abends verkehren alle Straßenbahnlinien lediglich halbstündlich. Zur Verdichtung der Linie 308 wird zu diesen Zeiten die Linie 318 über den Bochumer Hauptbahnhof hinaus bis Gerthe durchgezogen. Die letzten Fahrten stadtauswärts verlassen die Zentren von Bochum und Gelsenkirchen gegen Mitternacht.
Der Gelsenkirchener Abschnitt der Essener Linie 107 wird generell unter der Woche lediglich alle zwanzig sowie abends und am Wochenende alle dreißig Minuten befahren.
Eine Sonderstellung besitzen die stark ausgeprägten Zusatzverkehre zum Bochumer Ruhrstadion sowie zur Gelsenkirchener Arena bei Fußballspielen des VfL Bochum sowie des FC Schalke 04.

_ Straßenbahnentwicklung

Bereits in den achtziger Jahren des 19. Jahrhunderts existierten Planungen zum Bau einer Lokalverbindung zwischen Bochum und Herne im Korridor der heutigen U35. Nachdem projektierte Pferde- oder Dampfstraßenbahnen nicht umgesetzt wurden, entstand die Verbindung 1894 von Anfang an als elektrische Straßenbahn und wurde damit nach Essen zur Keimzelle des zweiten elektrischen Straßenbahnnetzes im Ruhrgebiet. Für die Strecke zeichneten sich Siemens & Halske verantwortlich, welche kurz danach 1895 auch zwei Straßenbahnlinien in Gelsenkirchen eröffneten.
Bereits ein Jahr später, am 13.1.1896, wurde zwecks Erlangung kommunalen Einflusses die noch heute bestehende BOGESTRA zunächst als koordinierende Dachgesellschaft gegründet. Der Bau und Betrieb weiterer Strecken unterlag zunächst weiterhin Siemens & Halske. Nachdem diese mit der Straßenbahn entgegen ihrer Erwartung jedoch zunehmend Verluste einfuhren, zogen sie sich 1907 zurück. 1908 gingen daraufhin Strecken und Betrieb komplett auf die BOGESTRA über.
Mit der schnellen Expansion des Systems entstanden bald Berührungspunkte und teilweise auch Konkurrenzsituationen zu benachbarten Straßenbahnbetrieben. Bereits 1932 tauschte die BOGESTRA im Grenzbereich zwischen Bochum und Essen zur Netzbereinigung einige Strecken mit der Süddeutschen Eisenbahn-Gesellschaft, der Vorläuferin der heutigen Essener EVAG. In den dreißiger Jahren gelang es der BOGESTRA dann, diverse andere Konkurrenten zu übernehmen und das Netz damit weit auszudehnen. Zunächst ging in mehreren Schritten zwischen 1932 und 1937 die Hattinger Kreisbahn in der BOGESTRA auf, zu welcher bereits vorher enge betriebliche Verflechtungen bestanden. 1937/38 folgte die volle Integration des weitaus umfangreicheren Netzes der Westfälischen Straßenbahn, welche Strecken in Witten, Castrop, Lütgendortmund, den östlichen Bochumer Vororten, Herne und Wattenscheid unterhielt. Diese Gesellschaft war wiederum aus den zusammenhängenden lokalen Vorgängerunternehmen Märkische Straßenbahn, Bochum-Castroper Straßenbahn GmbH, Straßenbahn der Stadt Herne und Kommunale Straßenbahngesellschaft des Landkreises Gelsenkirchen entstanden. Bereits 1931 hatte die BOGESTRA nach dem Konkurs der Westfälischen Straßenbahn deren Betriebsführerschaft übernommen. 1939 wurden dann schließlich noch zwei Strecken von der Vestischen Kleinbahn übernommen, darunter der nördliche Abschnitt der heutigen Linie 302. Zusammen mit Streckenerweiterungen in Bochum

302 306 Buddenbergplatz (2005)

Hauptbahnhof at 01:00, with an hourly night service on weekends - the only Stadtbahn night service in the Ruhr District.
The service pattern on tram lines is more complicated.
On weekdays and on Saturdays until 15:00, lines 301, 302, 306 and 308 operate every 10 minutes, and lines 310 and 318 every 20 minutes. During morning peak hours there is a 5-minute interval between Erle Forsthaus and Gelsenkirchen Hauptbahnhof (301), and between Hordeler Straße and Bochum Hauptbahnhof (306). Extra morning trains on line 318 between Am Röderschacht and Nordbad reduce the waiting time along the route shared with line 308 to five minutes. On Saturday afternoon, on Sundays and in the evenings all tram lines operate every 30 minutes; during these times line 318 is extended to Gerthe, whereas at other times it terminates at Bochum Hauptbahnhof.
On match day extra trams are available to serve the Ruhrstadion in Bochum (VfL Bochum) and the Veltins-Arena in Gelsenkirchen (FC Schalke 04).

301 Buer Rathaus 

und Gelsenkirchen selbst erreichte das Netz der BOGESTRA zu Beginn des zweiten Weltkriegs eine Länge von 195 km. Als letzte selbstständige weitere Straßenbahngesellschaft im Einflussbereich der BOGESTRA blieb schließlich nur noch die Straßenbahn Herne – Castrop-Rauxel GmbH (HCR) übrig, welche aber 1959 ihren Straßenbahnbetrieb einstellte und seitdem nur noch Linienbusverkehr durchführt.
Bereits in den dreißiger Jahren wurde damit begonnen, schwach belastete Strecken im einst sehr polyzentrisch angelegten Netz stillzulegen. Damit begann ein weitgehender Konzentrationsprozess auf die von Bochum, Gelsenkirchen und Buer ausgehenden Hauptachsen, der in den siebziger Jahren abgeschlossen war. Auf der anderen Seite wurde in den fünfziger Jahren damit begonnen, eben die Hauptachsen zweigleisig auszubauen und, wo möglich, auf eigenen Bahnkörper zu verlegen. Vorher herrschte fast überall die eingleisige Seitenlage vor.

_ Stadtbahnkonzept

Das für den Betriebsbereich Bochum geplante Stadtbahnnetz wurde im Innenstadtbereich in Form der drei am Hauptbahnhof kreuzenden Stammstrecken vollständig umgesetzt. Ursprünglich waren daran anschließend lange Außenstrecken vorgesehen, womit folgende städteverbindende Schnellbahnlinien entstanden wären:

1) Recklinghausen – Herne – Bochum Hbf – Ruhr-Universität – Witten (U35)
2) Hattingen – Bochum Hbf – Gerthe – Castrop – Rauxel – Ickern (als U38 geplant)
3) Langendreer – Laer – Bochum Hbf – Höntrop – Wattenscheid – Gelsenkirchen Hbf – Erle – Buer mit einer optionalen Verlängerung über Hassel in den Raum Marl (als U21 geplant)

Die erste Achse wurde in Form der U35 in größeren Teilen verwirklicht. An die innerstädtischen Tunnel der beiden anderen Achsen in Bochum und Gelsenkirchen schließt bis heute das Straßenbahnnetz an. Die dritte Achse hätte Teile der heutigen Linien 301, 302 und 310 zusammengefasst. Damit sollten auf Kosten einer direkten Streckenführung alle Siedlungsschwerpunkte in diesem Korridor über eine Stadtbahnlinie miteinander verbunden werden. Einen stadtbahngerechten Ausbau der Linie 306 von Bochum nach Wanne-Eickel als Abzweig von der Linie U35 nördlich des Bahnhofs Deutsches Bergbau-Museum enthielt die Rahmenplanung lediglich in einem sehr frühen Stadium. Später wurde ein Anschluss dieser Strecke an das Stadtbahnnetz in der Planung und dann schließlich auch beim Bau der U35 nicht mehr berücksichtigt. Daraus erklärt sich die heutige kuriose Führung der Linie 306 im Bochumer Stadtzentrum.

308 318 Bochum Hauptbahnhof

_ Evolution of the Tram Network

The first plans to build an interurban link between Bochum and Herne along the present U35 corridor were published during the 1880s. With horse and steam-hauled trams not having materialised, an electric tramway line opened in as early as 1894, making Bochum the second tramway city in the Ruhr District after Essen. The line was promoted by Siemens & Halske, who one year later also opened two lines in Gelsenkirchen.
On 13 January 1896, the BOGESTRA was founded to coordinate tram operation in the area, while construction and operation remained in the hands of Siemens & Halske. After unexpected losses, Siemens & Halske withdrew in 1907 and the tram routes were transferred to the BOGESTRA.
As the network expanded, links to neighbouring systems were created, which led to some competition. In 1932, the BOGESTRA exchanged some routes with the 'Süddeutsche Eisenbahn-Gesellschaft', a predecessor of the present EVAG in Essen, to simplify its network in the border area between the two cities. During the 1930s, the BOGESTRA took over several of its competitors and thus expanded its network. The 'Hattinger Kreisbahn' was absorbed in various stages between 1932 and 1937, followed by the 'Westfälische Straßenbahn' in 1937/38, which had operated tram lines in Witten, Castrop, Lütgendortmund, Herne, Wattenscheid and in the eastern suburbs of Bochum. This company had been the result of the merging of the former 'Märkische Straßenbahn', 'Bochum-Castroper Straßenbahn GmbH', 'Straßenbahn der Stadt Herne' and 'Kommunale Straßenbahngesellschaft des Landkreises Gelsenkirchen'. Having previously gone bankrupt, operation of its lines had already been in the hands of the BOGESTRA since 1931. And finally, in 1939, two routes were taken over from the 'Vestische Kleinbahn', one of which is today's northern section of line 302. After some extensions had been made to its original network both in Bochum and Gelsenkirchen, BOGESTRA's network had a total length of 195 km when World War II began. The last independent tramway company operating in the area was the 'Straßenbahn Herne - Castrop-Rauxel GmbH (HCR)', which ceased tram operation in 1959 and now only operates a bus service.
Some less busy sections of the once polycentric network had already been closed down during the 1930s, when concentration on a few trunk routes radiating from Bochum, Gelsenkirchen and Buer began. These trunk routes were double-tracked from the 1950s onwards and, where possible, re-aligned on a separate right-of-way. Prior to that, single-track operation alongside roads had dominated.

_ The Stadtbahn Concept

The basic Stadtbahn network with three routes converging at Bochum Hauptbahnhof has largely been completed in the city centre of Bochum. The initial project, however, included long sections linking neighbouring towns:

1) Recklinghausen - Herne - Bochum Hbf - Ruhr-Universität - Witten (U35)
2) Hattingen - Bochum Hbf - Gerthe - Castrop - Rauxel - Ickern (planned U38)
3) Langendreer - Laer - Bochum Hbf - Höntrop - Wattenscheid - Gelsenkirchen Hbf - Erle - Buer, with an option to be extended to Hassel and Marl (planned U21)

The first route was largely realised in the form of the present U35. The other two central tunnels in Bochum as well as in Gelsenkirchen are still linked to the tram

In Gelsenkirchen waren neben der Hauptachse von Bochum nach Buer drei weitere Linien angedacht. Eine zweite Nord-Süd-Durchmesserlinie sollte als Verlängerung der aus Essen kommenden heutigen U17 von Horst über Buer, Resse und Herten bis Recklinghausen verlaufen. Erste Planungen gingen zwischen Horst und Buer von einem Verlauf entsprechend der heutigen Linie 301 aus, später wurde auch eine Verschwenkung der Trasse weiter östlich über die Arena diskutiert. In Horst war ein viergleisiger Verknüpfungsbahnhof mit einer als U22 geplanten Stadtbahnlinie Gelsenkirchen – Horst – Gladbeck vorgesehen. Die U22 sollte als Endpunkt wiederum eine eigene, tief gelegene Bahnsteigebene am Gelsenkirchener Hauptbahnhof erhalten und optional weiter nach Osten bis Wanne führen. Daneben war auch ein kreuzungsfreier Ausbau der heute von der Straßenbahnlinie 107 bedienten Relation Essen – Gelsenkirchen vorgesehen. In frühen Planungsstadien sollte diese Linie über Rotthausen führen und südlich des Gelsenkirchener Hauptbahnhofs an den Innenstadttunnel anschließen. Später wurde dann eine Lösung über Katernberg entsprechend der heutigen oberirdischen Führung der Straßenbahn mit Einbindung in den zentralen Tunnel im Norden bevorzugt. Über diesen nördlichen Anschluss hätte auch die Linie nach Horst in den Tunnel eingebunden werden können. Alle diese Stadtbahnlinien blieben letztendlich aber eine Fiktion.

_ Stadtbahnbau – Bochum

Die ersten Bauwerke für die Stadtbahn in Bochum wurden zunächst von der Straßenbahn genutzt. 1971 ging als Neubaustrecke in Schnellstraßenbahnmanier die Verbindung vom Hauptbahnhof zur neuen Ruhr-Universität in Betrieb. An das Meterspurnetz anschließend wurde die Strecke ab Waldring im Mittelstreifen der Universitätsstraße angelegt. 1972 erfolgte eine Verlängerung bis Hustadt. An die Endstation schließt seitdem ein Brückenbauwerk vom Mittelstreifen auf die Südseite der Universitätsstraße an, über welches die Strecke in den Raum Witten verlängert werden könnte. Südöstlich Brenscheder Straße war die Universitätsstraße mitsamt der Schnellstraßenbahn von Beginn an kreuzungsfrei ausgebaut. Im Mai 1970 begann in der Bochumer Innenstadt der Tunnelbau. Als erste Strecke wurde der weitgehend bergmännisch gebaute Tunnel im Zuge der heutigen Linien 308 und 318 zwischen den Rampen Bergmannsheil und Ruhrstadion für den Straßenbahnvorlaufbetrieb vollendet. Er ging 1979 zunächst von Südwesten kommend bis Bochum Hauptbahnhof und schließlich 1981 weiter zum Ruhrstadion ans Netz. Die neue Verbindung ermöglichte eine gegenüber den vorhergehenden Strecken an der Oberfläche weitaus direktere Linienführung und damit eine erhebliche Beschleunigung der Straßenbahn. Es wurden vier unterirdische Bahnhöfe gebaut. Die 115 m langen Bahnsteige sind für den ursprünglich als Zielzustand geplanten Hochflur-Stadtbahnbetrieb auf Normalspur vorgeleistet, die zunächst verlegten Meterspurgleise entsprechend hochgeschottert.
1989 nahm die BOGESTRA mit der Linie U35 zwischen Bochum Hauptbahnhof und Schloss Strünkede am nördlichen Rand von Herne ihre erste und bis heute einzige normalspurige Stadtbahnlinie in Betrieb. Sie ersetzte die oberirdisch weitgehend auf derselben Strecke fahrende Straßenbahn. Nachdem zunächst vorgesehen war, nur die Innenstädte von Bochum und Herne zu untertunneln, baute man die Strecke nach einer 1983 beschlossenen Planungsänderung letztendlich sofort vollständig unterirdisch. Dadurch konnte mit der U35 ein wesentlicher Aspekt des Stadtbahngesamtkonzepts, nämlich die Schaffung städteverbindender Schnellbahnen in Nord-Süd-Richtung, demonstriert werden – was auf den

U35 Lennershof > Hustadt

network. The third route would have incorporated parts of the present tram lines 301, 302 and 310. A branch off line U35 along the present tram line 306 from a point north of Deutsches Bergbau-Museum station had been included in very early plans, but was later totally dropped, which is the reason for this line's present peculiar alignment in the Bochum city centre.
Besides the main route from Bochum to Buer, three other routes were originally planned for Gelsenkirchen. The present U17 from Essen to Horst was to be extended to Buer, Resse, Herten and Recklinghausen. The original plans envisaged a Stadtbahn line along the present line 301, but later a diversion to serve the Schalke Arena was examined. At Horst an interchange with the planned line U22 from Gelsenkirchen to Gladbeck was planned. At Gelsenkirchen Hauptbahnhof, line U22 was to have a separate deep-level station with an option to be extended further east to Wanne. The third line was to be the result of the upgraded route served by line 107 between Essen and Gelsenkirchen. Initially meant to run via Rotthausen and enter the Gelsenkirchen city tunnel from the southern side, it was later planned to continue along the present corridor via Katernberg and join the tunnel from the northern side, together with the aforementioned U22. All these plans remain only long-term dreams.

_ *Stadtbahn Construction: Bochum*

The earliest predecessor of the present Stadtbahn network was a new tram line on a separate right-of-way opened in 1971 between Bochum Hauptbahnhof and the new Ruhr-Universität. Linked to the metre-gauge network, it ran along the middle strip of Universitätsstraße and was extended to Hustadt in 1972. East of the present terminus, there has been an unused viaduct across the southbound lanes of Universitätsstraße ever since, built for a future extension towards Witten. South of Brenscheder Straße, the route has been totally grade-separated from the start.
Tunnel construction began in the Bochum city centre in May 1970. The first tunnel to be built, mostly by the New Austrian Tunnelling Method (NATM), was for route 2. With ramps at Bergmannsheil and Ruhrstadion, it is now served by lines 308 and 318. The southwestern section including Bochum Hauptbahnhof station opened in 1979, and the eastern in 1981. The new underground route allowed a more direct alignment and included four stations, which were built to full metro standard, with 115 m long platforms and metre-gauge tracks temporarily raised to allow for the future use

Schienennetz | *Rail Network*			
Netz *Network*		**Linien** *Lines*	**Netzlänge** *Network Length*
Stadtbahn (U35, U17[1])		2	16,7 km
Straßenbahn | *Tram* (301, 302, 308, 310, 318, 107[1])		6	85,4 km
Total		7	102,1 km
Stadtbahn - Streckenchronik | *Line History*			
Unabhängige Stadtbahnstrecke *Independent Stadtbahn Route*	**Länge** *Length*	**Bahnhöfe** *Stations*	**Eröffnung** *Opening*
Bergmannsheil – Bochum Hbf [2]	1559 m	3	26-05-1979
Bochum Hbf – Ruhrstadion [2]	1683 m	1	28-11-1981
Rheinelbestraße – Gelsenkirchen Hbf – Musiktheater [2]	1662 m	2	01-09-1984
Bochum Hbf – Schloss Strünkede	9168 m	13	02-09-1989
Bochum Hbf – Wasserstraße	1843 m	2	27-11-1993
Wasserstraße – Hustadt [3]	4345 m	6	27-11-1993
Heinrich-König-Platz – Ruhr-Zoo [2]	3858 m	5	29-05-1994
Hattingen Ruhrbrücke – Hattingen Bahnhofstraße [2]	1089 m	--	09-06-2002
Lohring – Bochum Hbf – Jahrhunderthalle [2]	2990 m	4	29-01-2006
Rathaus – Bochum Hbf [2]	ca. 600 m	--	29-01-2006
Stadtbahn-Zulaufstrecke | *Stadtbahn Feeder Line*		Hst. | *Stops*	
Bochum Hbf – Ruhr-Universität [2]			13-01-1971
Ruhr-Universität – Hustadt [2]			03-11-1972
Hattingen Bahnhofstraße – Hattingen Mitte [2]	765 m	2	09-03-1994
Stadtgrenze Essen – GE-Fischerstraße	ca. 200 m	1	30-09-2001
Fischerstraße – Horst, Buerer Straße	ca. 1100 m	2	04-07-2004

[1] Gemeinschaftslinien EVAG/BOGESTRA | *shared EVAG/BOGESTRA lines* von EVAG (Essen) betrieben | *operated by EVAG (Essen)*
[2] Meterspur | *metre gauge*
[3] Wasserstraße – Brenscheder Straße (ca. 650 m): nicht kreuzungsfrei | *with level crossings*

anderen ehemals geplanten Routen bis heute nur in Ansätzen erreicht wurde. Die Stadt Herne schaffte es dabei, den auf ihrem Territorium liegenden Streckenabschnitt der Stadtbahn quasi komplett zu verwirklichen. Das Ende des Tunnels befindet sich kurz vor der Recklinghauser Stadtgrenze und ist für eine Verlängerung in die nördliche Nachbarstadt vorbereitet. Gegenüber der Straßenbahn konnte die Stadtbahn die Fahrzeit zwischen Bochum und Herne auf eine Viertelstunde halbieren.
Auf Bochumer Stadtgebiet wurden für die U35 in sehr standfestem Untergrund zwei eingleisige Tunnelröhren in bergmännischer Manier nach der Neuen Österreichischen Tunnelbaumethode (NÖT) aufgefahren. Die Bahnhöfe haben innen liegende Bahnsteige, je nach Bedeutung sind sie entweder als Zweiröhrenstationen mit zwei Bahnsteigtunneln und Durchbrüchen dazwischen oder als Dreiröhrenstationen mit offen gelegtem Bahnsteigmittelbereich und zwei Säulengängen gebaut. Am Hauptbahnhof wurde unter dem dafür vorbereiteten bestehenden Straßenbahntunnel ebenfalls bergmännisch eine viergleisige Bahnsteigebene mit zwei Mittelbahnsteigen und damit gleich eine Vorleistung für den dritten Bochumer Tunnel erstellt. Auf Herner Gebiet entstand der Tunnel aufgrund der schwierigen geologischen Verhältnisse in der Emscherbruch-Zone dagegen weitgehend in offener Bauweise. Lediglich auf 550 m zwischen Hölkeskampring und Berninghausstraße wandte man den Messervortrieb an. Bedingt durch die isolierte Lage zum sonstigen Stadtbahnnetz benötigte die U35 eine eigene Betriebswerkstatt, der in Bochum auf dem Gelände der ehemaligen Zeche Constantin entstand. Das Verbindungsgleis zur Betriebswerkstatt zweigt am Südkopf des U-Bahnhofs Riemke Markt ab. Ursprünglich geplante Betriebshofstandorte an der Grullbadstraße in Recklinghausen sowie an der Lohrheidestraße in Wattenscheid konnten mit der ersten U35-Baustufe nicht erreicht werden. Die Bahnhöfe der U35 besitzen als erste in Deutschland eine

of high-floor rolling stock. In 1989, the BOGESTRA brought into service its first and as of yet only standard-gauge Stadtbahn line, the U35, between Schloss Strünkede in northern Herne and Bochum Hauptbahnhof. Line U35 replaced the tram route serving the same corridor. Although initially only planned to run underground through the centres of Bochum and Herne, a 1983 revision of the project plans saw the entire route put below the surface. Line U35 thus became the first successful example of a north-south link between two different cities as envisaged in the overall Stadtbahn concept, something which has only rudimentarily been realised on other routes. The northern end of the tunnel lies close to the Recklinghausen city boundary, ready to be extended. Compared to the former tram service, the Stadtbahn is much faster, having halved travel times between Bochum and Herne down to 15 minutes.
On Bochum territory, two single-track tunnels were excavated by the NATM through solid terrain. All stations have platforms located between the two running tunnels, and depending on their importance, there are either two platform tube tunnels with linking sections between them, or a central nave that was built as a separate tunnel with supporting pillars between itself and the platform tunnels. At Bochum Hauptbahnhof, two separate station halls with a total of four tracks were built, two of them in provision for route 3. The tunnel through Herne was mostly built by cut-and-cover due to the difficult ground conditions in the Emscher fault

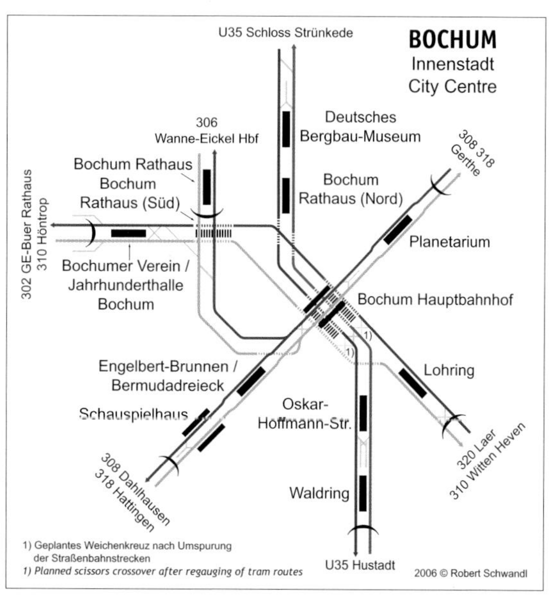

dynamische Fahrgastinformation, welche die Minuten bis zur nächsten Abfahrt in Echtzeit angibt.
1993 wurde die U35 in südöstliche Richtung vom Bochumer Hauptbahnhof nach Hustadt verlängert. Dafür entstand ein Anschlusstunnel bis zur Rampe Wasserstraße. Ab dort wurde die oberirdische Schnellstraßenbahnstrecke von 1971/72 umgespurt, was weitgehend einem Neubau gleichkam.
Alle Haltestellen bekamen Hochbahnsteige. Die ehemalige Station Klinikum baute man nicht wieder auf, da die einst dort geplante Universitätsklinik eine Fiktion blieb und daher keine ausreichende Nachfrage vorhanden war. An der Ruhr-Universität entstand eine großzügige neue Stationsanlage mit Bahnsteighalle und Rolltreppen. Während die unterirdischen Stationen Dreifachtraktionen zulassen, sind die Haltestellen an der Oberfläche allerdings bislang nur für Doppeltraktionen ausgelegt. Mit der Verlängerung nach Hustadt verlor die U35 ihr Prädikat als kreuzungsfreie Voll-U-Bahn, wenngleich es auch an der Oberfläche nur noch drei Kreuzungen mit Straßenfahrbahnen zwischen den beiden Haltestellen Wasserstraße und Brenscheder Straße gibt. In diesem Bereich fährt die U35 nun im Stadtbahn-Vorlaufbetrieb ohne Zugsicherung. Da jedoch keine betrieblichen Verknüpfungen mit anderen Stadtbahnlinien existieren, kann die U35 neben den zwar kreuzungsfreien, aber betrieblich nicht eigenständigen Essener und Dortmunder Linien U11, U18, U45, U46 und U49 mit einiger Berechtigung als am besten ausgebaute Stadtbahnlinie des Ruhrgebiets angesehen werden. Mit rund 70.000 Fahrgästen pro Tag ist sie gleichzeitig auch eine der stärkst belasteten Linien im Revier.
Wiederum als Baumaßnahme für die Straßenbahn wurde als nächstes Projekt die Linie 308 in Hattingen nach Stadtbahngesichtspunkten neu trassiert. Südlich des Bahnhofs ging 1994 als Ersatz für die alte eingleisige Streckenführung ins Zentrum eine weitgehend eingezäunte, aber nicht vollständig kreuzungsfreie zweigleisige Eigentrasse in Seitenlage bis zum neuen Verknüpfungspunkt Hattingen Mitte in Betrieb. Unmittelbar daneben befindet sich in einfacher Tiefenlage der gleichnamige, bereits 1987 eröffnete unterirdische Endpunkt der S-Bahn-Linie S3, welche ebenfalls vom Bahnhof hierher verlängert worden war. Eine Fußgängerbrücke überspannt die beiden Gleise der Straßenbahn sowie eine parallele Hauptstraße und stellt die Verbindung zur Hattinger Altstadt und zum Busbahnhof her. Seit 2002 steht etwas weiter nördlich als Ersatz für eine alte Ruhrbrücke mit straßenbündigem Bahnkörper außerdem eine neue kombinierte Brücke für Straße und Straßenbahn mit unabhängigem Bahnkörper in Seitenlage zur Verfügung. Am nördlichen Brückenkopf musste die Straßenbahn über eine enge S-Kurve an den Bestand angeschlossen werden. Südlich der Brücke bis zum Beginn der Neubaustrecke nach Hattingen Mitte verkehrt die Linie 308 derzeit noch ein kurzes Stück straßenbündig.
Als vorerst letzter Schritt des Bochumer Stadtbahnbaus wurde im Januar 2006 der dritte Innenstadttunnel zwischen den Rampen Lohring und Jahrhunderthalle mit vier U-Bahnhöfen in Betrieb genommen. Er entstand wiederum bergmännisch in NÖT und macht von der zusammen mit der U35 errichteten unteren Ebene am Bochumer Hauptbahnhof Gebrauch. Profilmäßig nach Stadtbahnnorm für die projektierte Linie U21 errichtet, wird der Tunnel im Vorlaufbetrieb von den Straßenbahnlinien 302 und 310 befahren. Nachdem die beiden äußeren Abschnitte mit den Bahnhöfen Bochumer Verein sowie Lohring und den Rampen bereits zu Beginn des Jahrtausends im Rohbau fertig waren, zog sich der Bau des zentralen Abschnitts mit dem Bahnhof Rathaus Süd über Jahre hin.
Die Straßenbahnlinie 306 nach Wanne-Eickel sollte gemäß der Stadtbahnrahmenplanung nicht umgespurt und damit

area. Only the 550 m stretch between Hölkeskampring and Berninghausstraße was dug underground.
As the new line U35 was isolated from other Stadtbahn lines in the Ruhr District, a purpose-built depot was established on the terrain of the former Constantin coal mine. It is linked to the line from the southern end of Riemke Markt station. The original plans included depots at Grullbadstraße in Recklinghausen and at Lohrheidestraße in Wattenscheid, which would not have been accessible from the isolated U35. The stations along U35 were the first in Germany to have dynamic displays showing the time remaining until the next train in real time.
In 1993, line U35 was extended southeast from Bochum Hauptbahnhof to Hustadt, with a tunnel extension to the ramp at Wasserstraße. From there, the rapid tram route from 1971/72 was upgraded and regauged, all stops were equipped with high platforms, and the former stop Klinikum was abandoned as the planned University hospital had still not been built. For the Ruhr-Universität a spacious station was designed with an overall roof and escalators. Whereas the underground stations are long enough for triple train units, the surface stops only allow the use of double units. The southern extension of line U35 made it lose its status as a fully grade-separated metro line, although there are only three level crossings on the surface, all located between Wasserstraße and Brenscheder Straße, where the route is not signalled. As there is no interference with other lines, U35 can be considered the Stadtbahn line in the Ruhr District with the highest standard. Several lines in Essen and Dortmund (U11, U18, U45, U46, U49) run totally grade-separated, but other lines share their tracks on certain sections. With some 70,000 passengers daily it is also among the busiest in the region.
As part of the Stadtbahn project, line 308 was put on a new alignment in 1994 in Hattingen, which replaced a formerly single-track route into the town centre. The new terminus Hattingen Mitte is now reached on a mostly fenced-off, though not totally grade-separated route. In 1987, S-Bahn line S3 had been extended here from Hattingen (Ruhr) station, its terminus lying parallel to the Stadtbahn stop, but below ground. A footbridge across both the tram tracks and a major road takes passengers into the Hattingen town centre and to a bus terminal. Further north, a new bridge across the River Ruhr with a segregated tram right-of-way opened in 2002. At the northern end, the new section had to be linked to the existing route via a tight S-curve, and at the southern end, a short section remains embedded in the roadway.

308 Hattingen Bahnhofstraße > Ruhrbrücke

mittelfristig stillgelegt werden. Nachdem dann aber absehbar wurde, dass es neben der U35 langfristig keine weiteren normalspurigen Stadtbahnlinien in Bochum geben würde, gewann ihr Erhalt neue Priorität. Mangels Zukunftsperspektive nach dem ursprünglichen Konzept war für die Linie jedoch keine potenzielle Zufahrt in das Tunnelsystem vorhanden. Daher wurde schließlich zusammen mit dem dritten Tunnel eine eigene Einfahrt verwirklicht. Für die Linie 306 entstand eine Rampe unmittelbar nördlich des U-Bahnhofs Rathaus Süd der Linien 302 und 310. In der Rampe erhielt die Linie 306 eine eigene Haltestelle Rathaus. Unmittelbar nach Einfahrt in den Tunnel kreuzt die Strecke den U-Bahnhof Rathaus Süd über eine in die Bahnhofshalle integrierte unterirdische Brücke. Anschließend trifft die Linie 306 auf eine vormals nur als Betriebsstrecke vorgesehene unterirdische Verbindungsspange vom U-Bahnhof Bochumer Verein/Jahrhunderthalle Bochum kommend zur oberen Ebene am Hauptbahnhof mit den Linien 308 und 318. Dieser Verbindungstunnel war genereller Bestandteil des dritten Tunnels, um alle unterirdischen Stammstrecken miteinander zu verbinden und oberirdische Betriebsstrecken stilllegen zu können. Um ihn auch für die Linie 306 nutzen zu können, wurde seine zunächst projektierte Streckenführung leicht verändert und zusätzlich eine kreuzungsfreie zweigleisige Einbindung in den Tunnel der Linien 308 und 318 dazugeplant. Vom ursprünglichen Betriebstunnel dient damit heute lediglich die Verbindungskurve zwischen Bochumer Verein/Jahrhunderthalle und der Einfädelung der Linie 306 rein betrieblichen Zwecken. Diese konnte daher eingleisig angelegt werden.

302 310 Bochum Rathaus (Süd) mit kreuzender Linie 306 | *with crossing line 306* CG

_ Stadtbahnbau – Gelsenkirchen

Der Stadtbahnbau in Gelsenkirchen konzentrierte sich auf die geplante Hauptachse der projektierten U21 von Bochum über den Gelsenkirchener Stadtkern und Erle nach Buer.

U35 Archäologie-Museum/Kreuzkirche

The most recent Stadtbahn-like section opened in Bochum is the third cross-city tunnel, with ramps at Jahrhunderthalle and Lohring, and since January 2006 with four underground stations in service. It was also excavated by the NATM, and includes the previously unused tracks on the lower level of Bochum Hauptbahnhof station. Although built to full metro standard for the once planned U21, it is now used by tram lines 302 and 310. While the ramps and adjacent stations Bochumer Verein and Lohring had largely been completed by the beginning of the new millennium, the construction of the central section with the underground station Rathaus (Süd) was delayed by several years.

According to the Stadtbahn project, tram line 306 from Wanne-Eickel was not meant to be regauged and was thus likely to be abandoned in the long run. When it became obvious that no other standard-gauge lines would be operating in Bochum in the foreseeable future anyway, maintaining line 306 once again became a priority. The original Stadtbahn layout, however, did not include any link from this line to the tunnel system, and a separate portal therefore had to be built at the northern side of Rathaus (Süd) station, with a stop just outside the tunnel on the access ramp. After entering the tunnel, line 306 crosses the underground station for lines 302/310 on a bridge before merging with the service link, which had always been planned between Bochumer Verein station and the upper level at Bochum Hauptbahnhof, to replace the existing surface route. The link tunnel's alignment had to be slightly modified for line 306 and a grade-separated junction west of Hauptbahnhof station was added. The linking curve between the 306 tunnel and Bochumer Verein station was only built single-track.

_ *Stadtbahn Construction: Gelsenkirchen*

The planned U21 from Bochum to Buer via Gelsenkirchen city centre and Erle was the first project to become a reality in Gelsenkirchen. After construction by cut-and-cover had begun in the mid-1970s, the tunnel through the heart of the city, from the ramp at Rheinelbestraße to the ramp at Musiktheater, opened in 1984. There were two intermediate

BOCHUM/GELSENKIRCHEN

Nach Baubeginn Mitte der siebziger Jahre ging 1984 im Straßenbahnvorlaufbetrieb der in offener Bauweise erstellte Innenstadttunnel zwischen den Rampen Rheinelbestraße südlich des Gelsenkirchener Hauptbahnhofs und Musiktheater in Betrieb. Alle Straßenbahnlinien verkehren im Zentrum von Gelsenkirchen seitdem unterirdisch. Der Tunnel besitzt die beiden Zwischenbahnhöfe Hauptbahnhof und Heinrich-König-Platz, ursprünglich Neumarkt. Beide Bahnhöfe hatten zunächst geteilte Bahnsteige mit hohen und niedrigen Abschnitten, um nach Fertigstellung der regelspurigen Stadtbahnstrecke nach Bochum eventuell übergangsweise weiterhin auch noch Straßenbahnlinien in den Tunnel einführen zu können. Am Hauptbahnhof wurden die Bahnsteige zum Jahreswechsel 2005/06 jedoch vollständig auf niedrige Höhe gebracht, um in Zukunft bei Veranstaltungen in der Arena zwei Doppelzüge hintereinander abfertigen zu können. Südlich des Hauptbahnhofs wurde eine zweigleisige unterirdische Abstellanlage in Mittellage für die heutigen Linien 107 und 301 angelegt. Der Bahnhof Heinrich-König-Platz erhielt in Vorgriff auf die dort angedachte Streckenverzweigung drei Gleise mit einem Seiten- und einem Mittelbahnsteig. Mangels Anschlussmöglichkeiten an den Tunnel wurde eine weitere ehemalige Essener Linie, welche südlich der Linie 107 von Katernberg nach Gelsenkirchen über Kraspothshöhe verlief, 1978 unter Abbruch einer gerade laufenden Gleiserneuerung eingestellt.
Der zweite Schritt des Stadtbahnbaus in Gelsenkirchen war die 1994 vollendete Verlängerung des Innenstadttunnels in nördliche Richtung bis zum Ruhr-Zoo (heute ZOOM-Erlebniswelt) wiederum im Straßenbahnvorlaufbetrieb. Am Ruhr-Zoo wurde an die bestehende Straßenbahnstrecke nach Erle und Buer angeschlossen. Damit wurde eine sehr störungsanfällige Straßenbahnstrecke ersetzt, welche sogar eine niveaugleiche Kreuzung mit einer Eisenbahn-Hauptbahn besaß.

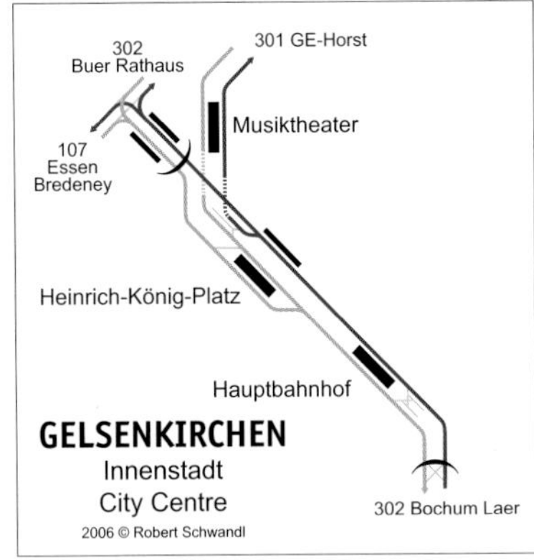

Gegenüber der oberirdischen Strecke erhielt der Tunnel außerdem eine direktere Linienführung. Zum Anschluss an den Bestand konnte auf die vorgeleistete Verzweigung am Heinrich-König-Platz zurückgegriffen werden. Die dortige Rampe blieb für die Linien 107 und 302 zusätzlich bestehen. Unter dieser Rampe bestehen Bauvorleistungen für eine Weiterführung des abzweigenden Tunnels in Richtung Essen, welcher noch unter dem der Linie 301 hindurchführen würde. Am Musiktheater entstand zusätzlich zur Haltestelle am oberen Ende der Rampe auch ein U-Bahnhof. Um den Tunnel zunächst für die Straßenbahnlinie 301 nutzbar zu machen, wurden die Gleise an den für den Endzustand fertig gestellten Hochbahnsteigen hochgeschottert.
Aufgrund der Lage im damals noch aktiven Bergsenkungsgebiet zeigte sich der Bau beider Gelsenkirchener Tunnelstücke als technisch überaus anspruchsvoll und zeitaufwändig. Um Bodenbewegungen ausgleichen zu können, sind die Tunnel als flexible Gussstahlkonstruktion ähnlich einem Staubsaugerschlauch in gewissem Maße elastisch ausgeführt. Dieses eigens für Gelsenkirchen entwickelte Prinzip hatte weltweit

302 107 Musiktheater

underground stations, Hauptbahnhof and Heinrich-König-Platz (initially called Neumarkt). Platforms in both stations were built with high and low sections, to allow operation with both standard-gauge high-floor trains and temporarily with conventional metre-gauge tram cars. At Hauptbahnhof, the former high sections had been demolished by late 2005 to provide long platforms for the multiple trainsets that serve the Schalke Arena on match days or during special events. At the southern end of Hauptbahnhof station, there are underground sidings for the reversing lines 107 and 301. Heinrich-König-Platz station was built with three tracks in provision for a future branch towards the west. In 1978, a second tram line from Essen via Katernberg and Kraspothshöhe was abandoned just after its modernisation had begun, because no way could be found to integrate it into the Gelsenkirchen tunnel network.
The second step of tunnel construction in Gelsenkirchen was the northern extension to the portal at Ruhr-Zoo (now ZOOM-Erlebniswelt), completed in 1994 and now used by trams. At Ruhr-Zoo, the tunnel route was linked to the existing tram line to Erle and Buer. The tunnel replaced a very delicate surface route, which even had a grade crossing with a mainline railway, and offers a more direct alignment. At Heinrich-König-Platz, it was linked to the first tunnel section, but the Musiktheater ramp remained in service for lines 107 and 302. A tunnel stub under this ramp would allow a possible extension towards Essen, burrowing under line 301. At Musiktheater, an additional underground station

301 Musiktheater

kein Vorbild. Um die Gleise auch bei einer Veränderung der Tunnellage wieder ins richtige Profil rücken zu können, wurde außerdem der Tunnelquerschnitt vergrößert. Zwischen Musiktheater und Bismarckstraße sowie Trinenkamp und Ruhr-Zoo baute man in bergmännischer Bauweise mit zwei Einzelröhren, den Abschnitt dazwischen offen.
Zu Beginn des neuen Jahrtausends erreichte schließlich erstmals ein normalspuriger Stadtbahnzug Gelsenkirchen, wenn auch nur am westlichen Rande des Stadtgebiets in Horst. Bis 2001 hatte die Essener EVAG ihre Nordstrecke nach Altenessen normalspurig im Tunnel neu gebaut und das anschließende Stück in Richtung Horst bis zur Gelsenkirchener Stadtgrenze oberirdisch umgespurt. Über diese neue Stadtbahnstrecke verkehrt seitdem die Linie U17. Wegen Verzögerungen bei der Planung über Stadt- und Regierungsbezirksgrenzen hinweg musste zunächst eine provisorische Endstation Fischerstraße an der Stadtgrenze eingerichtet werden. 2004 wurde die U17 dann wie vorher die Straßenbahn oberirdisch nach Horst verlängert und trifft hier seitdem auf die Straßenbahnlinie 301.

_ Ausblick

Bis in die neunziger Jahre wurde in Bochum und Gelsenkirchen konkret an der beide Zentren verbindenden Linie U21 geplant. Zeitweise war damit sogar einen Umspurung des kompletten BOGESTRA-Netzes bzw. der nach dem weiteren Stadtbahnbau davon noch übrig gebliebenen Teilstücke in Sicht.
Nach Vollendung des Tunnels zum Ruhr-Zoo wollte Gelsenkirchen möglichst bald mit dem Bau der beiden noch fehlenden U21-Abschnitte zwischen Ruhr-Zoo und Buer über Erle sowie dem Gelsenkirchener Hauptbahnhof und der Stadtgrenze zu Bochum beginnen. Gleichzeitig wollte man die Gleise in den bestehenden Tunnelstücken umspuren. Nördlich vom Ruhr-Zoo sollte die Stadtbahn ein kurzes Stück oberirdisch über den Rhein-Herne-Kanal hinweg und dann durch einen weiteren Tunnel führen, der südliche Abschnitt hätte komplett im Tunnel gelegen. Lange Jahre diskutierte man darüber, welche Strecke zuerst gebaut werden solle. Das Land favorisierte die aufgrund damals bereits abgeklungener Bergsenkung baulich einfachere südliche Strecke zur Netzverknüpfung mit Bochum, die Stadt Gelsenkirchen aber die nördliche zwecks Herausnahme der Straßenbahn aus Erle. Je nach gewählter Variante hätte es damit sofort eine durchgehende normalspurige Stadtbahnverbindung bis ins Bochumer Zentrum oder aber eine für einige Jahre isolierte normalspurige Stadtbahnlinie vom Zentrum Gelsenkirchens nach Buer gegeben. Es gab bereits Beschlüsse, in Buer für eine derartige Linie ein Normalspurdepot am Standort eines aufgegebenen Betriebshofs der Vestischen Straßenbahn zu errichten. Im Gelsenkirchener Zentrum hätten für einen Übergangszeitraum die beiden noch verbliebenen Straßenbahnstrecken, die Linie 107 sowie der nördliche Teil der Linie 302, entweder im Mischbetrieb in den Innenstadttunnel geführt oder aber zu einer rein oberirdischen Linie ohne Bedienung des Hauptbahnhofs verbunden werden können.
Auf Bochumer Gebiet war geplant, den vom Gelsenkirchener Hauptbahnhof kommenden Tunnel über Wattenscheid bis Höntrop durchzuziehen. Je nach Planungsvariante wären dabei die Bahnhöfe Wattenscheid und/oder Höntrop angebunden worden. Im damals noch selbstständigen Wattenscheid stand ein Baubeginn des Tunnels bereits in den siebziger Jahren schon einmal nahe bevor. Allerdings kamen maßgebliche Entscheidungsträger bei einem Flugzeugabsturz ums Leben. Ironie der Geschichte: Der Flug fand auf Einladung der Bauindustrie zur Besichtigung bestehender U-Bahnen statt.

301 302 107 Heinrich-König-Platz

was built next to the surface stop at the upper end of the ramp. As all platforms along the new section had been built for high-floor vehicles, tracks had to be temporarily raised by placing extra ballast to allow the use of conventional tram stock.
Running through unstable subsoil in a former coal-mining area, the tunnelling of the Gelsenkirchen Stadtbahn route was extremely complicated and time-consuming. In order to compensate for possible ground shifts, the tunnels were lined with flexible steel rings, much like the tube of a vacuum cleaner. A larger tunnel profile was chosen in order to have room for tracks to be adjusted in case of tunnel alterations. Except for the stretch between Bismarckstraße and Trinenkamp, which was built by cut-and-cover, the tunnels were excavated below ground.
Standard-gauge Stadtbahn trains reached Gelsenkirchen territory at the beginning of the new millennium, when line U17 was extended from Essen to Horst. By 2001, Essen's EVAG had built its northern route through Altenessen in tunnel and regauged the remaining surface route up to the city boundary. Due to planning delays, a temporary terminus was established at Fischerstraße until line U17 had been extended to Horst in 2004, where it intersects with tram line 301.

_ Outlook

Planning of the interurban link U21 continued up until the 1990s. From time to time, the regauging of the entire network, or of those routes that would have remained once Stadtbahn construction had been completed, was considered.
After the completion of the tunnel to Ruhr-Zoo, the city of Gelsenkirchen wanted to continue the construction of the remaining U21 sections north to Buer and from Hauptbahnhof south to the city border with Bochum. At the same time, existing tunnel routes were to be regauged. From Ruhr-Zoo, a short surface section was to cross the Rhine-Herne-Canal before going back underground, while the southern route was to be entirely below street level. Long discussions followed about which stretch was to be built first. The state of North-Rhine - Westphalia was in favour of the southern section, which was easier to build as the terrain in this area had already settled well. The city, however, preferred the northern section, as it would have enabled the tram tracks through Erle to be withdrawn. The choice was thus between a through-running standard-gauge line to Bochum, or an isolated line between the centre of Gelsen-

Von Höntrop bis östlich Engelsburg in Richtung Bochumer Zentrum sollte der bestehende besondere Bahnkörper der Linie 310 für die Stadtbahn adaptiert werden. Diese wurde dazu zwischenzeitlich zweigleisig ausgebaut, wobei die Meterspurgleise als Vorleistung zur angestrebten Umspurung bereits breitere Normalspurschwellen erhielten.
Im Bochumer Zentrum hätte man schließlich an den nun Anfang 2006 für die Straßenbahn eröffneten dritten Innenstadttunnel anschließen können. Aber auch dieser war ursprünglich in einer längeren Form geplant. In einer ersten Baustufe sollte die U21 in Höhe Engelsburg in den Tunnel fahren, einen weiteren U-Bahnhof Stahlhausen in Höhe Erzstraße bedienen und am Hauptbahnhof auf die Gleise der U35 überwechseln. Endpunkt wäre dann zunächst der Bahnhof Oskar-Hoffmann-Straße gewesen. Die östliche Straßenbahnstrecke der Linie 310 nach Witten sowie die heutige Führung der Linie 302 durch Wattenscheid sollten gleichzeitig miteinander verbunden und im Mischbetrieb über Dreischienengleise zusammen mit der U21 über die heutigen Rampen durch den Tunnel geführt werden. Dies hätte an den Bahnhöfen Bochumer Verein und Rathaus Süd zu geteilten Bahnsteigen mit hohen und niedrigen Abschnitten geführt. In einer zweiten Baustufe sollte der Stadtbahntunnel dann über Lohring hinaus bis Laer verlängert werden. Dann hätte man die U21 wieder von der U35-Strecke abziehen und stattdessen bis Laer verlängern können, was gleichzeitig zur Stilllegung der restlichen Meterspurstrecken der Linien 302 und 310 geführt hätte.
Nach der deutschen Wiedervereinigung musste das Land Nordrhein-Westfalen dann aber Mitte der neunziger Jahre die Zuschüsse für den Stadtbahnbau drastisch kürzen. Daher wurden die kurz vor dem Einstieg in die Realisierung stehenden Tunnelstücke mit Ausnahme des dritten Bochumer Innenstadttunnels und mit ihnen eine normalspurige Stadtbahnlinie U21 auf unbefristete Zeit verworfen.
Nach dieser Entwicklung war klar, dass es in Bochum und Gelsenkirchen weiterhin meterspurige Straßenbahnlinien geben würde. Damit verlor folgerichtig die ursprünglich angestrebte Umspurung der Linie 308 zwecks Schaffung eines einheitlichen Normalspurnetzes jegliche Priorität. Auch hierfür gab es bis zum Abbruch des U21-Projektes in den neunziger Jahren konkrete Planungen. Danach sollte der Tunnel ab Ruhrstadion – eventuell zunächst für den Straßenbahn-Vorlaufbetrieb – ostwärts bis Weserstraße verlängert werden, wo ein eigener Bahnkörper der Straßenbahn beginnt. An der Oberfläche war ein normalspuriger Umbau der Linie 308 für den Stadtbahnvorlaufbetrieb angedacht. Der Abzweig der Linie 318 nach Dahlhausen sollte dagegen verschwinden.
Für den Stadtbahnvollausbau hätte man langfristig einen Tunnel bis Hattingen sowie einen weiteren in Gerthe benötigt. In Hattingen sollte die Strecke nach Erreichen des Ruhrtals in aufgeständerter Hochlage bis zur damals noch aktiven Henrichshütte weitergeführt werden. Diese weitgehend durchgeplante Strecke wurde aber bis zu einem Bau der Bochumer Tunnelverlängerung zurückgestellt. Der im Zielzustand des Stadtbahnkonzeptes in Castrop vorgesehene Netzschluss mit dem bis heute isolierten Betriebsbereich Dortmund hatte stets nur eine untergeordnete Relevanz.
Nach wie vor mit höherer Priorität angestrebt werden Erweiterungen der U35. Ob es dazu kommt, ist derzeit allerdings nicht absehbar. Die in einer Hauptverkehrsachse liegende logische nördliche Weiterführung von Herne nach Recklinghausen scheiterte in der Vergangenheit vorwiegend an mangelnder Forcierung seitens der Stadt Recklinghausen. Heute hat sich die lokale politische Bewertung zwar geändert, dafür stehen aber keine Finanzmittel mehr zur Verfügung. Diskutiert werden und wurden sowohl vollständig unterirdi-

U35 Hustadt

kirchen and Buer. The latter option included a depot for standard-gauge trains, which was to be built by adapting an abandoned depot formerly used by the 'Vestische Straßenbahn' in Buer. In the centre of Gelsenkirchen, the remaining tram lines 107 and 302 were either to share the central tunnel stretch, or to be linked together on the surface without serving the railway station.
On the Bochum side of line U21, the tunnel from Gelsenkirchen was to be extended through Wattenscheid south to Höntrop, serving the railway stations at Wattenscheid and/or Höntrop. With Wattenscheid still an independent city, construction was set to start in the 1970s. However, the project came to a halt when several decision-makers died in a plane crash, ironically on a study trip to see other underground systems. From Höntrop towards the Bochum city centre, the line was to use the separate right-of-way used by line 310 up to a point east of Engelsburg. This route had been double-tracked and the metre-gauge tracks fixed to standard-gauge sleepers. In the centre of Bochum, line U21 was to be linked to the third cross-city tunnel, which eventually opened in early 2006, but which had originally been planned to run further west. The tunnel portal was to be located at Engelsburg, west of an underground station Stahlhausen, near the present Erzstraße stop. In the centre, it was to switch onto the U35 tracks at Hauptbahnhof and terminate at Oskar-Hoffmann-Straße. The eastern line 310 to Witten and the present line 302 through Wattenscheid were to be linked together and diverted into the tunnel system via today's ramps. In the tunnel, 3-rail tracks were to allow mixed metre-gauge and standard-gauge operation. At Bochumer Verein and Rathaus (Süd), platforms with high and low sections would have been necessary. At a later stage, the tunnel was to be extended from Lohring south to Laer, where line U21 was to terminate. This would have implied the closure of the remaining metre-gauge sections on lines 302 and 310.
After Germany's reunification, the state of North-Rhine - Westphalia had to drastically reduce funds for Stadtbahn construction. As a consequence, the standard-gauge U21 project was no longer financially viable, and except for the third cross-city tunnel in Bochum it was shelved. The plan to regauge line 308 to create a homogenous standard-gauge network was thus no longer necessary either. At the eastern end of the first cross-city tunnel in Bochum, an underground extension was envisaged up to Weserstraße, from where the route lies on a separate right-of-way. The surface routes were to be upgraded for Stadtbahn operation, but the 318 branch to Dahlhausen was to be abandoned. In

sche als auch teilweise oberirdisch verlaufende Lösungen. Die im Süden ursprünglich angestrebte Verlängerung bis in das Wittener Zentrum unter Nutzung der Trasse der Linie 310 zwischen Heven und Witten hat auf absehbare Zeit keine Realisierungschancen, nachdem sich die Stadt Witten inzwischen gegen einen Tunnel im Stadtzentrum und stattdessen zum Ausbau der Straßenbahn entschlossen hat. Zwar gibt es Bestrebungen, zumindest einen oberirdischen Lückenschluss zwischen Hustadt und Heven zu erreichen, doch erscheinen diese durch ein dazwischen liegendes Naturschutzgebiet und zu geringe Fahrgastpotenziale als wenig Erfolg versprechend. Diskutiert wird außerdem eine kurze Verlängerung von Hustadt zur Bochumer Fachhochschule. Diese würde die U35 von Hustadt aus in einem engen Bogen nach Südwesten verschwenken. Ein kreuzungsfreier Ausbau der derzeit vorhandenen drei Kreuzungen entlang der U35 wurde bis auf weiteres fallen gelassen.

In der fortgeschrittenen Planungsphase mit Aussicht auf einen mittelfristigen Baubeginn befindet sich eine Verlängerung der Straßenbahn in Bochum von Laer über die Unterstraße zum S-Bahnhof Langendreer. Diese Strecke war ursprünglich auch einmal als Stadtbahn-Endziel vorgesehen. In einer zweiten Bauphase soll ein Lückenschluss zwischen Langendreer und Crengeldanz zum Ersatz der heute eingleisig um Langendreer herum führenden Linie 310 hinzukommen. Langfristig sind weitere neue Straßenbahnstrecken geplant.

Für die ursprünglich vorgesehene Verlängerung der U17 über Horst hinaus nach Buer, Herten und Recklinghausen wurden im Verkehrsgebiet der Vestischen Straßenbahn im Bereich Herten einst bereits umfangreiche Planungen und Bauvorleistungen im Zuge der ehemaligen Straßenbahnstrecke dieser Relation durchgeführt. Diese waren sogar ein Anlass für die Einstellung des Personenverkehrs auf der parallelen Eisenbahnstrecke von Buer nach Recklinghausen. Letztendlich wurden die Stadtbahnplanungen aber abgebrochen und sogar der als Vorlaufbetrieb zu betrachtende Straßenbahnverkehr der Vestischen zwischen Buer und Recklinghausen aufgegeben. Anlässlich der Fußball-WM 2006 diskutierte man in jüngerer Zeit noch eine kurze Verlängerung der U17 bis zur Arena, ging dieses Projekt dann aber wegen nicht ausreichendem Finanz- und Zeitrahmen nicht an.

U35 Waldring

U35 Zeche Constantin

order to achieve a full-standard Stadtbahn route, a long tunnel southwest to Hattingen, as well as through Gerthe, would have been necessary in the long run. In Hattingen, the line was to run on a viaduct from the Ruhr Valley to Henrichshütte, then a steelmaking factory still in operation. Although planned in detail, this section was postponed until after completion of the tunnel in Bochum. The final goal, though with a low priority, was to link this route at its northern end in Castrop to a line arriving there from Dortmund.

Extensions to the existing line U35 are still planned today. A northern extension to Recklinghausen has not yet been built because that city did not see it as very essential. Meanwhile, the political attitude has changed, but now there are no funds available. A totally underground as well as a partly surface alignment have been considered.

A southern extension into the centre of Witten, achieved by taking advantage of the corridor now served by line 310 from Heven to Witten, is no longer planned, Witten having decided against a tunnel through its centre and focussing on upgrading its surface tram route. A surface extension to Heven is not very likely either, as the route would run through a protected area and passenger numbers are not expected to be very high. A short extension from Hustadt to Fachhochschule, with a curve from the current terminus towards the southwest, has recently been proposed. Eliminating the three level crossings along line U35 is not a priority for the time being.

The extension with the best chance of being realised in the foreseeable future is a surface route from Laer to the S-Bahn station at Langendreer along Unterstraße, a route once included in an early Stadtbahn project. In a second stage, a link between Langendreer and Crengeldanz could replace the present line 310 single-track alignment along the southern side of Langendreer. In the long run, further tram routes are planned.

The present U17 route was originally planned to be extended north from Horst to Buer, Herten and Recklinghausen. In the area formerly served by the 'Vestische Straßenbahn', the planning of the Stadtbahn route had reached an advanced stage, and passenger traffic on the parallel mainline railway from Buer to Recklinghausen was therefore withdrawn. But, eventually, this project was no longer pursued and even tram operation ceased between Buer and Recklinghausen. In preparation for the FIFA World Cup 2006, a short extension of line U17 to serve the Arena at Schalke was discussed, but due to a lack of funds and time, this has not materialised.

_ **Fahrzeuge**
Für den ersten Abschnitt der U35 erhielt die BOGESTRA 1988 13 Stadtbahnwagen B mit Drehstromantrieb. 12 baugleiche Fahrzeuge folgten 1993 für die Verlängerung nach Hustadt. Die Wagen besitzen dank Ausstattung aller Bahnhöfe mit Hochbahnsteigen keine Klapptrittstufen. Da es in Bochum nur eine Stadtbahnstrecke gibt, verzichtete man an den Wagenseiten auf dynamische Fahrzielanzeiger und versah die dafür vorgesehenen Kästen einfach mit „U35"-Aufklebern. Der Wagenpark erlaubt es derzeit nicht, in den Zeiten des 5-Minuten-Taktes alle Kurse der U35 nachfragegerecht mit Doppeltraktionen zu bestücken. Um diesen Mangel zu beheben und gleichzeitig genügend Fahrzeuge für die angestrebte kurze Südverlängerung zur Fachhochschule zu besitzen, hat die BOGESTRA 2005 bei Stadler 6 Hochflurzüge vom neuen Typ Tango bestellt. Die neuen Fahrzeuge sollen 2007 ausgeliefert werden. Hinsichtlich der Abmessungen entsprechen sie weitgehend dem Stadtbahnwagen B. Im Unterschied zu diesem wird in Wagenmitte aber kein Jacobs-Drehgestell, sondern ein kurzes zweiachsiges Zwischenmodul mit zwei Gelenken zu den jeweils schwebend anschließenden Wagenhauptteilen hin verwendet.
Für das Meterspurnetz beschaffte die BOGESTRA zwischen 1976 und 1982 zeitgleich mit der Aufnahme des Straßenbahn-Tunnelbetriebs insgesamt 55 M6-Wagen, davon 33 M6S mit Schützen- und 22 M6C mit Choppersteuerung. Inzwischen sind mehrere Wagen insbesondere der ersten Serie ausgemustert. Neben den M-Wagen standen weiterhin lange Jahre konventionelle Duewag-Gelenkstraßenbahnwagen im Einsatz. 22 davon erhielten nachträglich Zugsicherungstechnik und geschlossene Führerstände für den Tunnelbetrieb. Nachdem zwischen 1992 und 1994 insgesamt 42 Niederflurstraßenbahnwagen MGT6D analog zu Mülheim und Oberhausen geliefert wurden, konnten diese Fahrzeuge vollständig außer Betrieb genommen und teilweise nach Gent, Gotha, Innsbruck, Lille und Arad weitergegeben werden. Die älteren M6S-Wagen sollen wiederum ab 2007 schrittweise durch zunächst 30 sechsachsige Niederflurzüge vom Typ Variobahn ersetzt werden, welche zusammen mit den neuen Hochflurzügen bei Stadler

_ ***Rolling Stock***
In 1988, the BOGESTRA acquired 13 B-cars with 3-phase asynchronous motors for the first section of Stadtbahn line U35. 12 identical vehicles were delivered in 1993 for the southern extension to Hustadt. As all stations have high platforms, these cars are not equipped with folding steps. On the sides of the vehicle, the line number U35 is shown on a simple sticker instead of dynamic displays, unnecessary here as this is the only Stadtbahn line. The current fleet does not allow the operation of a 5-minute headway with double units on all journeys, although passenger numbers would require this. To solve this problem and in provision for a possible extension to Fachhochschule, the BOGESTRA has ordered six high-floor Stadtbahn trains of a new type called 'TANGO' from Stadler, these to be delivered in 2007. These are of similar dimensions to the B-car, but instead of a Jacobs bogie in the middle, there will be a short 2-axle centre module, with each of the two main modules suspended from it.
Between 1976 and 1982, in time for tunnel operation, the BOGESTRA acquired a total of 55 M6 trams, of which 33 have a contactor control (M6S) and 22 a chopper system (M6C). Meanwhile, some cars of the first batch have been withdrawn from service. Besides the M-cars, conventional DUEWAG articulated trams remained in service for many years. 22 of these were refitted with signalling devices and closed driver's cabins to be able to operate in tunnels. These vehicles were withdrawn once delivery of 42 low-floor trams of class MGT6D, identical to those in Mülheim and Oberhausen, had been completed in two batches between 1992 and 1994. Some of the older trams were transferred to Gent, Gotha, Innsbruck, Lille and Arad. The older M6S cars

①② B80D (Ruhr Universität) ① RS
③ M6S (Wanne-Eickel Hbf)

bestellt wurden. Diese werden mit rund 30 m etwa gleich lang wie die MGT6D und etwa 10 m länger als die M-Wagen sein. Auf 15 weitere Wagen besteht eine Option.
Bislang erlaubt die Infrastruktur des Meterspurnetzes den Einsatz der Niederflurzüge nur auf den Linien 302, 308 und 318. Die Linien 301, 306 und 310 werden dagegen noch mit M-Wagen bedient. Doppeltraktionen im Linienbetrieb gibt es bislang noch nicht, das geringe Fassungsvermögen der M-Wagen führt stellenweise zu Überlastungen. Anlässlich der Fußball-WM 2006 wurde die Linie 302 zwischen Gelsenkirchen und Buer für den Betrieb mit rund 60 m langen Doppelzügen im Veranstaltungsverkehr zur Arena ertüchtigt. Nach der Anpassung einiger Haltestellen musste die Stromversorgung verstärkt werden.
Bei der Farbgebung aller Wagen herrscht grau-weiß-rot gemäß Corporate Design des Verkehrsverbunds Rhein-Ruhr vor. Einige M-Wagen fahren noch in rot-weißer Ursprungsfarbgestaltung.
Insgesamt besitzt die BOGESTRA drei Betriebshöfe. Das Depot der Normalspurlinie U35 liegt unweit des U-Bahnhofs Zeche Constantin. Im Meterspurnetz konnten unlängst alle älteren Standorte durch den Bau von zwei neuen Anlagen aufgegeben werden. Für das Bochumer Teilnetz ist nun der 2005 eröffnete Betriebshof Engelsburg zuständig, gelegen im Bochumer Westen an der Linie 310. Hier entstand auch eine neue Hauptwerkstatt. Ein- und Ausrücker der Linien 306, 308 und 318 benutzen von und nach Engelsburg den Verbindungstunnel zwischen den beiden Bochumer Meterspurstammstrecken. Der zentral in der Innenstadt platzierte Betriebshof Gelsenkirchen entstand 2003 als weitgehender Neubau auf altem Gelände hinter denkmalgeschützten Fassaden.

are to be replaced from 2007 by 30 new 6-axle low-floor 'Variobahn' trams, ordered from Stadler together with the new high-floor trains. Similar to the MGT6D, these will be approximately 30 m long, thus 10 m longer than the present M-cars. There is an option for a further 15 vehicles.
The present route layout allows operation with low-floor vehicles only on lines 302, 308 and 318. Lines 301, 306 and 310 are still operated with M-cars. Double units have not yet been put into service, and thus the low capacity of M-cars often leads to overcrowding. In preparation for the FIFA World Cup 2006, line 302 was upgraded between the centre of Gelsenkirchen and Buer for operation with 60 m long double units to serve the football stadium. Apart from adapting several stops, the power supply also had to be improved.
Most vehicles boast a grey-white-red livery, the official corporate design once chosen for the 'Verkehrsverbund Rhein-Ruhr' (tariff union). Some M-cars can be seen in original red-and-white livery.
The BOGESTRA has three depots. The depot for the standard-gauge line U35 is located near the Zeche Constantin station. For the metre-gauge network, two new facilities have recently opened to replace older depots. In Bochum, a new depot, together with the main workshop, has been brought into service at Engelsburg on the western line 310. Trams operating on lines 306, 308 and 318 use the linking tunnel between the two metre-gauge tunnels to access the depot. In Gelsenkirchen, a new depot has been built close to the city centre to replace older facilities, which at the same time preserves a listed facade.

① MGT6D (Bochum Hauptbahnhof) ② M6S ③ TANGO (Abb. © Stadler Pankow GmbH)

Wagenpark
Rolling Stock

Wagennummer *Car Number*	Anzahl *Quantity*	Typ *Class*	Baujahr *Year*	Hersteller *Manufacturer*	Bemerkungen *Notes*
301-322	22	M6S	1976	DUEWAG	303, 309, 320, 322 x
323-333	11	M6S	1977	DUEWAG	333 x
334-339	6	M6C	1981	DUEWAG	336 x
340-355	16	M6C	1982	DUEWAG	345 x, 353 ATW
401-420	20	MGT6D	1992	DUEWAG	
421-433	13	MGT6D	1993	DUEWAG	
434-442	9	MGT6D	1994	DUEWAG	x = ausgemustert *x = out of service*
6001-6013	13	B80D	1988	DUEWAG	ATW = Arbeitstriebwagen
6014-6025	12	B80D	1993	DUEWAG	*ATW = Engineer's Vehicle*

Die aus Essen kommende Linie 107 verkehrt zwar ein längeres Stück auf Gelsenkirchener Stadtgebiet, wird aber von der Essener EVAG betrieben. Bis Gelsenkirchen fährt die Straßenbahn ganztags lediglich alle 20 Minuten, weitere von Essen kommende Züge enden vor der Stadtgrenze an den Haltestellen Katernberg Abzweig oder **Hanielstraße**. Die oberirdische Strecke der Linie 301 von Bismarck über Buer bis Horst stammt von 1901. Erwähnenswert sind hier eine eingleisige schienengleiche Kreuzung mit der DB-Strecke von Wanne-Eickel nach Dorsten am Bahnhof **Buer-Süd** sowie der Mischbetrieb der meterspurigen Linie 301 mit der Essener Normalspurstadtbahnlinie U17 in **Horst** über eine kurze gemeinsame Strecke mit Dreischienengleisen.

① E-Hanielstraße (107)
② Hans-Böckler-Straße (107)
③ Feldmarkstraße (107)
④ Essener Straße (301)
⑤ Buer Süd Bahnhof (301)

Line 107 from Essen is operated by EVAG and runs every 20 minutes through to Gelsenkirchen Hauptbahnhof, with other trams terminating at Katernberg Abzweig or ***Hanielstraße*** *in Essen.*

The surface route on line 301 from Bismarck to Horst via Buer dates from 1901. At ***Buer Süd****, there is a grade crossing with the mainline from Wanne-Eickel to Dorsten. The metre-gauge line 301 and the standard-gauge line U17 share a short section equipped with 3-rail tracks at* ***Horst****.*

Entlang der heutigen Linie 301 fuhr einst Gelsenkirchens erste Straßenbahnlinie, sie wurde 1895 von Siemens & Halske vom Stadtzentrum nach Bismarck eröffnet. Seit 1994 liegt dieses Stück im Tunnel. Südlich der Haltestelle **Buer Rathaus** fahren die Linien 301 und 302 ein kurzes Stück auf denselben Gleisen. Die Strecke durch den Stadtteil **Erle** verläuft weiterhin im Straßenraum, erst an der Haltestelle **ZOOM-Erlebniswelt**, bis 2005 Ruhr-Zoo, beginnt die eigene Trasse. Charakteristisch sind die runden Portale an der Tunneleinfahrt unmittelbar südlich dieser Haltestelle. Die anschließenden Tunnelröhren bestehen aus den für diese Strecke typischen Gussstahlelementen.

Gelsenkirchen's first tramway route, opened by Siemens & Halske in 1895 from the city centre to Bismarck, basically followed the present line 301 corridor. This original section was put underground in 1994. South of the ***Buer Rathaus*** *stop, lines 301 and 302 share the same tracks for a short section. The route through the* ***Erle*** *area is still embedded in the roadway, the tunnel starting just south of the* ***ZOOM-Erlebniswelt*** *stop (until 2005 Ruhr-Zoo). The circular tunnel portals are a special feature of this underground section. The following tube tunnels are lined with cast-iron rings.*

① Buer Rathaus/Goldbergplatz
② Erle Forsthaus
③④ ZOOM-Erlebniswelt (Ruhr-Zoo)

Die Bahnhöfe der Stadtbahn-Nordstrecke in Gelsenkirchen sollten eigentlich von der normalspurigen Linie U21 von Bochum nach Buer bedient werden. Für den nur als kurzzeitiges Provisorium geplanten Straßenbahntunnelbetrieb wurden die Gleise an den für Stadtbahn-Dreifachtraktionen fertig gestellten Hochbahnsteigen hochgeschottert. Man ging von einer deutlichen Bedeutungssteigerung der Strecke aus, da sie nach Verlängerung des Tunnels bis Buer eventuell auch die heute deutlich schnellere oberirdische Straßenbahnlinie 302 ersetzen sollte. Heute wirken die eingesetzten, nur rund 20 m langen M6-Solowagen in den großzügigen Anlagen etwas verloren.

①-③ Trinenkamp
④⑤ - Bergwerk Consolidation

Stations along the northern tunnel route through Gelsenkirchen were originally to be served by the standard-gauge line U21 running from Bochum to Buer. For temporary tram operation the tracks were raised with extra ballast.

The route was expected to become very busy and even replace the faster surface line 302. Platforms being long enough for triple Stadtbahn units, the only 20 m long single-unit M6 cars now make the large stations appear somewhat oversized.

Trinenkamp hat wie die meisten Bahnhöfe der Nordstrecke einen Eingangspavillon an der Oberfläche. An den Wänden gibt es Ansichten von ‚Gelsenkirchen von unten'.
Gegenüber der alten Straßenbahnstrecke führt der Tunnel nicht unter Hauptstraßenverbindungen her, sondern verläuft direkter und teilweise unter der Bebauung. Beim Bahnhof **Bergwerk Consolidation** lag durch die Verwandtschaft von Bergbau und Stadtbahntunnelbau das Gestaltungsthema auf der Hand. Der Bahnhof **Bismarckstraße** liegt mitten im Vorort Bismarck nahe der Stelle, an der die Straßenbahn früher schienengleich die Emschertalbahn, eine elektrisch betriebene Güterhauptbahn, kreuzen musste, was ihre Betriebsdurchführung unvorhersehbar beeinflusste.

Like most stations along the northern route, ***Trinenkamp*** *boasts a surface entrance pavilion. Station walls are decorated with maps showing 'Gelsenkirchen from below'.*
Compared to the former tram route, the tunnel alignment is more direct and lies partly under the buildings. At ***Bergwerk Consolidation****, the coal mining past was chosen as a theme.*
Bismarckstraße *station lies in the centre of the Bismarck neighbourhood, close to where the former tramway used to cross an electrified freight railway at grade, a cause of repeated delays.*

①② Bergwerk Consolidation
③④ Bismarckstraße

Der Bahnhof **Leipziger Straße** wird entsprechend der Namen umliegender Straßen mit Stadtansichten mittel- und ehemals ostdeutscher Städte geschmückt, so Leipzig, Breslau, Magdeburg, Königsberg und Dresden.
Am **Musiktheater** entstand mit der Tunnelverlängerung von 1994 zusätzlich zur oberirdischen Station nördlich der Tunnelrampe des Innenstadttunnels ein gleichnamiger U-Bahnhof. Er wird durch runde Mittelsäulen strukturiert. Die Seitenwände sind mit blauen Fliesen, Wandgemälden, die Figuren aus Opern darstellen, und Säulennachbildungen gestaltet.

①② Leipziger Straße
③-⑤ Musiktheater

***Leipziger Straße** station is decorated with motifs showing the cities of Leipzig, Breslau (Wroclaw), Madgeburg, Königsberg (Kaliningrad) and Dresden, all located in eastern Germany or in areas no longer part of Germany. These cities have streets named after them in the area around the station. At **Musiktheater**, an underground station was built next to the surface stop located at the upper end of the temporary ramp. Massive columns divide the island platform into two sections. The walls are tiled in blue and decorated with paintings showing scenes from operas.*

Am Bahnhof **Heinrich-König-Platz** (urspr. Neumarkt) läuft der nördliche Tunnel der Linie 301 mit den von der Oberfläche kommenden Straßenbahnlinien 107 und 302 zusammen. Für einen geplanten Abzweig nach Essen wurde der Bahnhof dreigleisig ausgeführt. Für die einst geplante Stadtbahnlinie U21 sind hier noch hohe Bahnsteigabschnitte zu sehen. **Gelsenkirchen Hauptbahnhof** besitzt einen 10 m breiten und 115 m langen Mittelbahnsteig direkt unter der Fußgängerpassage des Hauptbahnhofs. Der ursprünglich hohe Bahnsteigteil wurde 2005 abgesenkt, um bei Veranstaltungen in der Arena zwei Doppelzüge hintereinander abfertigen zu können. Südlich des Bahnhofs schließt eine zweigleisige Abstellanlage zwischen den Streckengleisen an.

①-③ Heinrich-König-Platz
④⑤ Gelsenkirchen Hauptbahnhof
④ RS

*The northern tunnel route merges with the surface lines 107 and 302 at **Heinrich-König-Platz** station, which was built with three tracks in provision for a future underground branch towards Essen. For the once planned U21, high platform sections can still be seen today.*

***Gelsenkirchen Hauptbahnhof** underground station has a 10 m wide and 115 m long island platform lying directly below the railway station's pedestrian concourse. The high platform sections were demolished in 2005 to allow two double tram units to be dispatched simultaneously during special events at the Schalke Arena.*

Der nördliche Abschnitt der städteverbindenden Linie 302 vom Gelsenkirchener Zentrum bis Buer ist eine der am besten ausgebauten Straßenbahnstrecken des Ruhrgebiets überhaupt. Bereits 1895 ging der Abschnitt vom Gelsenkirchener Zentrum bis Schalke Markt in Betrieb. Das nachfolgende Stück bis **Buer** entstand dagegen erst 1927 unter der Regie der ehemaligen Vestischen Kleinbahn. 1939 konnte die BOGESTRA die Strecke übernehmen. Heute ist die nördliche Linie 302 klar als Schnellstraßenbahn zu sehen, sie besitzt durchgehend einen besonderen Bahnkörper und Haltestellen mit Bahnsteigen für Doppelzüge. Die Bahnsteige der Haltestelle **Emscherstraße** sind ohne Überqueren der Trasse von einer Straßenunterführung aus erreichbar.

*The northern section of line 302 from the centre of Gelsenkirchen to Buer is among the tram routes with the highest standards in the entire Ruhr District. The section from the city centre to Schalke Markt opened in 1895; the remaining section to **Buer**, however, was only built in 1927 by the former 'Vestische Kleinbahn'. This route was transferred to the BOGESTRA in 1939; it can be classified as an express tram line, with a separate right-of-way along its entire route and platforms long enough for double units. At **Emscherstraße**, the platforms are accessible directly from an underpass.*

①② Buer Rathaus
③ VELTINS-Arena (Arena Auf Schalke)
④ Emscherstraße

Ihre Bedeutung bezieht die Linie 302 sowohl aus der schnellen Verbindung der beiden Zentren Gelsenkirchen und Buer, aber auch aus der Anbindung der **Arena** des FC Schalke 04. Die Arenahaltestelle ist kreuzungsfrei ausgebaut und besitzt zwei Mittelbahnsteige, bemerkenswert ist die Zugangsüberdachung in Form von Solarkollektoren. Zur Fußball-WM 2006 wird eine repräsentative Bahnsteigüberdachung gebaut. Seit 2006 kann die Strecke mit 60 m langen Zügen befahren werden.
An der Haltestelle **Musiktheater** fährt die Linie 302 gemeinsam mit der aus Essen kommenden Linie 107 in den Gelsenkirchener Innenstadttunnel. Die niederflurgerechten Bahnsteige sind mit einer Stahlskelettkonstruktion überdacht.

Line 302 not only constitutes a fast link between the centres of Gelsenkirchen and Buer, but also serves the Veltins-Arena, home to FC Schalke 04, a premier league football team. The ***Arena*** *stop is grade-separated, and has two island platforms, and a footbridge covered with solar panels. The platforms are presently being covered for the FIFA World Cup in June 2006. At the same time, the route is being upgraded for operation with double tram units.*
At ***Musiktheater****, line 302 enters the city tunnel together with line 107 from Essen. The stop outside the tunnel has covered low-floor platforms.*

①② Musiktheater
③ Heinrich-König-Platz
④ Gelsenkirchen Hauptbahnhof

Der mittlere Abschnitt der Linie 302 zwischen Gelsenkirchen und Wattenscheid ging zusammen mit der Strecke nach Schalke Markt und der 1984 tiefergelegten Gelsenkirchener Innenstadtquerung 1895 unter der Regie von Siemens & Halske ans Netz. 1896 erfolgte der Lückenschluss zwischen Wattenscheid und Bochum, womit die BOGESTRA-Netzteile Gelsenkirchen und Bochum miteinander verbunden waren. Nach der Stilllegung der Straßenbahnstrecke Gelsenkirchen – Wanne-Eickel ist dies heute die einzige Verbindung der beiden Teilnetze. Die Straßenbahn verlässt bislang südlich des Gelsenkirchener Hauptbahnhofs den Tunnel und verläuft bis Bochum durchgehend zweigleisig, aber weitgehend straßenbündig. Einige Bahnsteige sind auf 60 m Länge ausgebaut.

*The central section of line 302 between Gelsenkirchen and **Wattenscheid** was opened in 1895 by Siemens & Halske together with the route to Schalke Markt, the section through the city centre being put underground in 1984. The link between Wattenscheid and Bochum was completed in 1896. Since the tram route from Gelsenkirchen to Wanne-Eickel closed down, this has been the only link between the two BOGESTRA areas. South of Gelsenkirchen Hauptbahnhof the trams surface from the tunnel and continue on a double-track route, mostly on-street, to Bochum. Some platforms along this section are 60 m long.*

①② Rheinelbestraße
③ Gesamtschule Ückendorf
④ Ückendorfer Platz

Südlich des Ückendorfer Platzes überquert die Linie 302 die Stadtgrenze zwischen Gelsenkirchen und Bochum und bedient zuerst Wattenscheid, eine bis 1975 selbstständige Stadt, mit Halt am zentralen **August-Bebel-Platz**. Kurz vor Einfahrt in den dritten Bochumer Innenstadttunnel trifft die Linie 302 an der Wattenscheider Straße auf die Linie 310, hier gibt es eine Führung mit Richtungsgleisen über Parallelstraßen und darin integrierter Schleife.

①② August-Bebel-Platz RS
③ Alte Heide
④⑤ Wattenscheider Straße

*South of **Ückendorfer Platz**, line 302 leaves Gelsenkirchen and enters Wattenscheid, since 1975 part of the city of Bochum. The Wattenscheid town centre is served by the **August-Bebel-Platz** stop.*

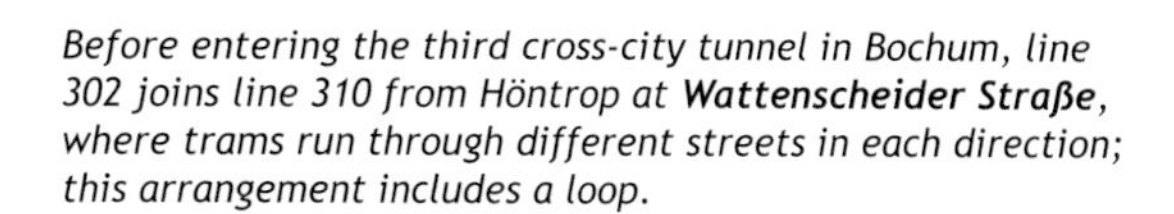

*Before entering the third cross-city tunnel in Bochum, line 302 joins line 310 from Höntrop at **Wattenscheider Straße**, where trams run through different streets in each direction; this arrangement includes a loop.*

Die westliche Strecke der Linie 310 nach **Höntrop** wurde erst 1922/24 eröffnet und wird heute lediglich alle zwanzig Minuten mit 20 m langen M6-Solowagen bedient. Dem Stadtbahnkonzept nach sollte die Strecke jedoch übergeordnete Bedeutung erhalten: geplant war ein Anschlusstunnel von Höntrop über Wattenscheid bis Gelsenkirchen (U21) zum Ersatz der heutigen Linie 302. Zur Vorbereitung der inzwischen verworfenen Umspurung des gut ausgebauten oberirdischen Abschnitts Engelsburg – Höntrop wurden zwischenzeitlich bereits Meterspurgleise auf breiteren Normalspurschwellen eingebaut.

①② Höntrop-Kirche
③ Brucknerstraße
④ Erzstraße
⑤ Wattenscheider Straße

*The western 310 route to **Höntrop** was opened in 1922/24, and is now only served every 20 minutes with 20 m long M6-cars. In the Stadtbahn concept this route was to become part of line U21, with a tunnel from Höntrop to Gelsenkirchen via Wattenscheid to replace the present line 302. The surface route between Höntrop and Engelsburg was upgraded with standard-gauge sleepers but metre-gauge tracks, in preparation for future Stadtbahn operation.*

Der U-Bahnhof **Bochumer Verein/Jahrhunderthalle Bochum**, geplant als Bessemerstraße, liegt am westlichen Ende des Anfang 2006 vollendeten dritten Bochumer Innenstadttunnels unmittelbar am unteren Rampenende. Für eine mögliche Weiterführung des Tunnels Richtung Westen mit einer unterirdischen Station Stahlhausen existieren zwei nun mit Abstellgleisen versehene Anschlussstutzen beidseitig der Rampe. Die beiden Tunnelröhren wurden im Bahnhofsbereich zueinander geöffnet, wodurch ein 90 m langer Mittelbahnsteig mit Mittelstützen entstand. Mit Bezug auf die angrenzende Bochumer Stahlhütte wurde von den Bochumer Architekten Schmiedeknecht-Krampe-Reiter für den Innenausbau vorwiegend Stahl verwendet, die Betonwände der Tunnelröhren sind in blaues Licht getaucht.

*The underground station **Bochumer Verein/Jahrhunderthalle Bochum**, originally planned as Bessemerstraße, lies at the western end of the third Bochum cross-city tunnel, which opened in early 2006.*
For a future western tunnel extension with an underground station at Stahlhausen, two short tunnel stubs were built on either side of the ramp, these now being used for stabling trams. Within the station, the area between the two tube tunnels was excavated to create a 90 m long island platform divided by supporting pillars. The architects Schmiedeknecht-Krampe-Reiter mainly used steel, a reference to the nearby steel industry. The bare concrete walls are illuminated in blue light.

①-④ Bochumer Verein/Jahrhunderthalle Bochum

Der U-Bahnhof **Bochum Rathaus (Süd)** wurde von den Architekten Pahl + Weber-Pahl geplant. Er zeichnet sich durch eine 90 m lange und komplett stützenfreie Bahnsteighalle mit Faltwerkdecke sowie 13 Oberlichtern in Form von Glasprismen aus. Der untere Teil der Wände wurde mit übereinander geschichteten und von hinten farbig beleuchteten Glasplatten verkleidet. Auf einer seitlich verglasten Brücke durchfährt die Linie 306 rechtwinkelig die Bahnhofshalle. Es gibt zwei Zwischengeschosse und einen vom Bahnsteig direkt an die Oberfläche laufenden gläsernen Schrägaufzug. Das runde östliche Zwischengeschoss wird von einer dicken, mittig stehenden Betonsäule strukturiert, die das Gewicht der darüber liegenden Kreuzung trägt. Hier schließt eine kurze Verbindungspassage zum Bahnhof Bochum Rathaus (Nord) der Linie U35 an.

①-⑤ Bochum Rathaus (Süd)

*The underground station **Bochum Rathaus (Süd)** was designed by the architects Pahl + Weber-Pahl. The 90 m long platform has a folded ceiling with 13 skylights, but no supporting pillars. The lower part of the station walls was covered with layers of glass, which is illuminated from behind in varying colours. Line 306 crosses the underground station on a bridge with glass walls. There are two mezzanines, and an inclined lift leading directly from the platform to the surface. From the round eastern vestibule, a corridor leads to the Bochum Rathaus (Nord) station on line U35.*

Am U-Bahnhof **Bochum Hauptbahnhof** laufen alle Bochumer Straßen- und Stadtbahnlinien zusammen. Die Linien 302/310 benutzen dabei zusammen mit der U35 die viergleisige untere Ebene. Sie besteht aus zwei nebeneinander liegenden, bergmännisch gebauten dreischiffigen Bahnsteighallen mit einer Gesamtbreite von 43 m, jeweils mit Mittelbahnsteig und zwei Säulengängen. Zwischen Stadtbahn und Straßenbahn kann dank Richtungsbetrieb bahnsteiggleich umgestiegen werden. Innen fährt die U35, außen die Linien 302/310. Ebenso befindet sich am Hauptbahnhof die zentrale Leitstelle des gesamten BOGESTRA-Netzes.

*All tram and Stadtbahn lines converge at **Bochum Hauptbahnhof**. Lines 302/310 and line U35 use the lower 4-track level, which consists of two separate 3-nave stations built by NATM and with a total width of 43 m, each including an island platform and two rows of columns. Transfer between both routes is provided across the platform, with line U35 on the inner tracks and the tram lines on the outer. The BOGESTRA control centre is located within the Hauptbahnhof station complex.*

①② Bochum Hauptbahnhof
③④ Bochum Hauptbahnhof
- oberirdische Strecke bis Januar 2006
- *surface route until January 2006*

Der U-Bahnhof **Lohring** wurde vom Bochumer Architekturbüro Rübsamen + Partner entworfen. Die stützenfreie runde Halle, knapp 19 m breit und rund 14,5 m hoch, beherbergt den auf 60 m verkürzten Mittelbahnsteig mit einem auf einer Fläche von rund 400 m² von unten beleuchteten Glasfußboden. Verkleidet ist diese Halle mit eloxierten Aluminiumblechen nach dem Spectrocolor-Verfahren aus dem Automobilbau, die das einfallende Licht je nach Einfallswinkel unterschiedlich reflektieren. Das östliche Bahnsteigende ziert eine rote Emailplatte der Düsseldorfer Kunstprofessorin Eva-Maria Joeressen, das gelbe Kreuz markiert die darüber liegende Kreuzung. Eine Echtzeit-Klanginstallation des Komponisten Klaus Kessner fängt Geräusche aus dem Bahnhof auf und bindet diese in eine stetige, unterschwellige Klangkulisse ein.

*The underground station **Lohring** was designed by the architects Rübsamen + Partner. The vaulted station hall is 19 m wide and 14.5 m high and has no supporting pillars. The island platform was limited to a length of 60 m. Its 400 m² floor is illuminated from below. The vaulted ceiling is clad with anodised aluminium panels as used in car industry, which reflect the light to varying degrees, depending on the angle of incidence. At the eastern end of the platform there is a red enamel panel designed by the artist Eva-Maria Joeressen, with a yellow cross that marks the location of the crossroads on the surface. A real-time sound installation created by Klaus Kessner picks up station sounds and adds them to a permanent subliminal background sound.*

①-④ Lohring

Die Straßenbahnstrecke nach Laer wurde 1898 eröffnet. In **Altenbochum** verläuft sie straßenbündig, in **Laer** dagegen auf besonderem Bahnkörper in Mittellage. Große Bedeutung hat die Strecke für den Berufsverkehr zu den Opel-Werken, welche durch eine eigene Haltestelle erschlossen werden. Die Weiterführung von Laer bis Crengeldanz mit Anschluss an die damalige Märkische Straßenbahn nach Witten entstand 1901. Zwischen **Unterstraße** und Crengeldanz befährt die Straßenbahn heute eine eingleisige Streckenführung auf besonderem Bahnkörper und schlängelt sich dabei zwischen Schnellstraßen hindurch in sehr ländlich anmutende Gegenden. Zugbegegnungen erlaubt die Haltestelle **Am Honnengraben**.

① Freigrafendamm
② Dannenbaumstraße
③ Laer Mitte
④ Urbanusstraße
⑤ Am Honnengraben

*The tram route to Laer opened in 1898. Through **Altenbochum** it still runs on-street, whereas in **Laer** a separate right-of-way is available. This route provides an important link to the Opel works.*
*The route from Laer to Crengeldanz, where it is linked to the former 'Märkische Straßenbahn' to Witten, dates from 1901. Between **Unterstraße** and Crengeldanz the route is single-track, running parallel to a motorway and through rural landscapes. There is a passing loop at the stop **Am Honnengraben**.*

Der östliche Teil der heutigen Linie 310 von **Crengeldanz** ins Zentrum von **Witten** wurde 1899 durch die Märkische Straßenbahn eröffnet. In Witten fährt die Straßenbahn durch die Fußgängerzone. Die Wittener Stadtstrecke wurde in den vergangenen Jahren zweigleisig ausgebaut und modernisiert, im Grenzbereich zu Bochum sind die Arbeiten aber noch nicht abgeschlossen. Mittelfristig soll die Strecke zwischen Unterstraße und Crengeldanz über das Zentrum von Langendreer entlang der Unterstraße und Hauptstraße umgeleitet werden.

*The eastern section of today's line 310 from **Crengeldanz** to the centre of **Witten** was opened in 1899 by the 'Märkische Straßenbahn'. In Witten, the trams run through a pedestrianised street. The route through the Witten town centre was double-tracked and modernised in recent years, but the section closer to Bochum has not been completed yet. There are plans to divert the route between Unterstraße and Crengeldanz via the Langendreer town centre along Unterstraße and Hauptstraße.*

①② Papenholz
③ Witten Rathaus
④ Berliner Straße

Das äußere Stück der Linie 310 schwenkt wiederum in westliche Richtung und führt von der Wittener Stadtmitte nach **Heven**. Diese Strecke entstand erst 1929 als eingleisige Überlandbahn auf eigenem Bahnkörper durch die Westfälische Straßenbahn. Sie führte ursprünglich weiter über die Ruhr bis Herbede. Planungen zum zweigleisigen Ausbau wurden bis heute nicht umgesetzt, in Heven endet die Straßenbahn stumpf ohne Weiche. Ursprünglich sollte die Trasse von einer ab Hustadt ins Wittener Zentrum verlängerten U35 übernommen werden, die Realisierung dieser Planung wird heute aber nicht mehr verfolgt.

From the Witten town centre, line 310 continues in a westerly direction to ***Heven****. This single-track interurban route on a separate right-of-way was opened in 1929 by the 'Westfälische Straßenbahn', and originally continued across the River Ruhr into Herbede. Plans to double the line have not materialised yet. At Heven, the line terminates at a very simple stop without any points.*
The original Stadtbahn project included an extension of line U35 from Hustadt to Witten along the Heven corridor, but this project is no longer on the table now.

① Hans-Böckler-Straße
② Friedrich-List-Straße
③ Heven Hellweg
④ Heven Dorf

Die Straßenbahnstrecke zwischen Bochum und Wanne-Eickel gibt es seit 1896, sie wird heute von der Linie 306 befahren. In Wanne-Eickel endet die Linie auf dem Bahnhofsvorplatz in einer Endschleife und bindet die dortige Fußgängerzone über die Haltestelle **Am Buschmannshof** an. Anschließend unterquert sie die ausgedehnten Bahnanlagen des Bahnhofs **Wanne-Eickel Hbf** und durchquert Eickel auf straßenbündiger Strecke. Zwischen Eickeler Straße und Hannibal-Einkaufszentrum besteht derzeit noch ein kurzer eingleisiger Abschnitt. Es folgt ein besonderer Bahnkörper mit Rasengleis in Mittellage der Dorstener Straße sowie ab Bodelschwinghplatz, wo sich auch ein Kehrgleis befindet, wiederum ein Abschnitt im Straßenpflaster.

*The tram route between Bochum and Wanne-Eickel has existed since 1896, and is now served by line 306. The **Wanne-Eickel** terminus lies in front of the railway station, and the town centre is served by the stop **Am Buschmannshof**. After passing under the extensive railway tracks, line 306 runs on-street through Eickel. Between Eickeler Straße and Hannibal-Einkaufszentrum there is a short single-track section. The next section lies on a separate grass-covered right-of-way in the middle strip of Dorstener Straße. From Bodelschwinghplatz, where a reversing siding is found, the route is again embedded in the roadway.*

①② Wanne-Eickel Hbf ② RS
③④ Am Buschmannshof (Wanne-Eickel)

Die oberirdischen Abschnitte der Linie 306 werden derzeit zur modernen Niederflurstrecke ausgebaut. Bis Januar 2006 fuhr die Linie 306 gemeinsam mit den Linien 302 und 310 entlang der Bongardstraße durch das Bochumer Stadtzentrum und endete an der Südseite des Hauptbahnhofs am Buddenbergplatz. Jetzt fährt diese Straßenbahnlinie am **Rathaus**, wo sich in der Rampe eine Haltestelle mit Mittelbahnsteig und Vollüberdachung befindet, in den Tunnel und endet in der oberen Bahnsteigebene am Hauptbahnhof, wo auch die Linien 308 und 318 halten. Unmittelbar südlich der Haltestelle Rathaus durchquert die Linie 306 die unterirdische Bahnhofshalle der Linien 302/310 auf einer seitlich verglasten Brücke.

The surface sections of line 306 are currently being upgraded for operation with modern low-floor vehicles. Until January 2006, line 306, along with lines 302 and 310, ran along Bongardstraße through the Bochum city centre and terminated at the southern side of the railway station at Buddenbergplatz. It now enters the tunnel system at ***Rathaus****, where a stop with an island platform was built on the ramp. Just inside the tunnel it crosses the underground station used by lines 302 and 310 on a bridge covered with glass on the sides, before terminating on the upper level at Bochum Hauptbahnhof, where lines 308 and 318 also stop.*

① Hordeler Straße
② Bochum Rathaus
(alte Strecke | *abandonded route*) RS
③④ Bochum Rathaus

Die südlichen Teile der Linien 308/318 wurden folgendermaßen eröffnet: 1898 vom Bochumer Zentrum bis **Weitmar**, 1901 weiter über **Linden** bis **Dahlhausen** und schließlich 1902 von Linden nach **Hattingen**. Von den ehemals anschließenden Strecken der Hattinger Kreisbahn ist heute nichts mehr übrig. Südlich des Innenstadttunnels fahren beide Linien fast ausschließlich im Straßenpflaster, lediglich in Hattingen wurden 1994 bzw. 2002 zwei stadtbahngerecht neu trassierte Abschnitte in Betrieb genommen. Die Stichstrecke der Linie 318 nach Dahlhausen verläuft eingleisig im Straßenpflaster und endet auf dem Dahlhausener Bahnhofsvorplatz ohne Weiche und Gleisabschluss.

*The southern sections of lines 308 and 318 opened as follows: in 1898 from the Bochum city centre to **Weitmar**, in 1901 to Dahlhausen via **Linden**, and in 1902 from Linden to **Hattingen**. The previously connecting lines of the 'Hattinger Kreisbahn' have all disappeared. From the tunnel mouth, the route lies embedded in the roadway, except for two stretches in Hattingen that were rebuilt on a separate right-of-way in 1994 and 2002. The branch to **Dahlhausen**, served by line 318, is still single-track, terminating in front of the Dahlhausen S-Bahn station without any points or buffer stops.*

① Hattingen Mitte RS
② Linden Mitte RS
③ Dahlhausen CG
④ Rampe Bergmannsheil

Schauspielhaus und **Engelbert-Brunnen/Bermudadreieck** waren zusammen mit der oberen Bahnsteigebene am Hauptbahnhof 1979 die ersten Bochumer U-Bahnhöfe. Die Länge der Bahnsteige zeugt von der Vision gebliebenen Planungsvorstellung einer Normalspurstadtbahn mit langen Zugeinheiten, die Gleise sind für den zum Dauerprovisorium avancierten Straßenbahnbetrieb hochgeschottert. Beim namensgebenden Bermudadreieck handelt es sich um das Zentrum des Bochumer Nachtlebens.

①② Schauspielhaus
③-⑤ Engelbert-Brunnen/Bermudadreieck
⑤ RS

*In 1979, **Schauspielhaus** and **Engelbert-Brunnen/Bermudadreieck**, along with the upper level at Hauptbahnhof, became the first underground stations in Bochum. The length of the platforms reflects the early ambitions of the now abandoned metro-style project. The platforms had been designed for high-floor Stadtbahn trains, so for conventional and low-floor trams the tracks had to be raised with extra ballast. The name tag 'Bermudadreieck' [Bermuda triangle] refers to Bochum's main nightlife area.*

①

Die obere Ebene (orange) des U-Bahnhofs **Bochum Hauptbahnhof** der Linien 308/318 sowie 306 weist im Gegensatz zur unteren Ebene (rot) als Folge der offenen Bauweise ein Rechteckprofil auf. Direkte Treppen bieten kurze Umsteigewege zu den anderen Linien im Untergeschoss. Der Treppenabgang aus dem direkt von der Bahnhofsvorhalle erreichbaren Zwischengeschoss ist mit einem Wandmosaik geschmückt. Nordöstlich des Bahnhofs befindet sich ein mittiges Abstellgleis für die Linien 306 und 318. Die Einfädelung der Linie 306 in die Station erfolgt kreuzungsfrei.

②

③

④

*The upper level (orange) at **Bochum Hauptbahnhof**, used by lines 308, 318 as well as 306, has a rectangular profile, a result of the cut-and-cover method, compared to the round profile of the lower level (red) built by NATM. Both levels are linked by direct flights of stairs. The staircase from the vestibule to the upper level is decorated with a colourful mosaic. To the northeast of the station there is a centre siding used by lines 306 and 318 for reversing. The junction for line 306 at the western side is grade-separated.*

①-③ Bochum Hauptbahnhof
④ Planetarium

Der U-Bahnhof **Planetarium** kam 1981 hinzu. Gleichzeitig war ein durchgehender Betrieb von Dahlhausen/Hattingen nach Gerthe mit Unterquerung der Bochumer Innenstadt möglich. Nordöstlich Planetarium erreicht die Straßenbahn unmittelbar vor dem **Ruhrstadion** über eine provisorische Rampe wieder die Oberfläche. Im nachfolgenden Abschnitt liegen die Gleise zunächst straßenbündig, zwischen **Weserstraße** und dem südlichen Rand von Gerthe dann auf besonderem Bahnkörper in Straßenmittellage. Die Ortsdurchfahrt **Gerthe** verblieb dagegen bis heute eingleisig im Straßenpflaster mit zweigleisiger Endstation in Seitenlage. Geschichtlich geht die 1908 eröffnete Strecke nach Gerthe auf die Bochum-Castroper Straßenbahn GmbH zurück. Wie die ursprüngliche Straßenbahnstrecke sollte auch die Stadtbahn über Gerthe hinaus bis Castrop-Rauxel führen.

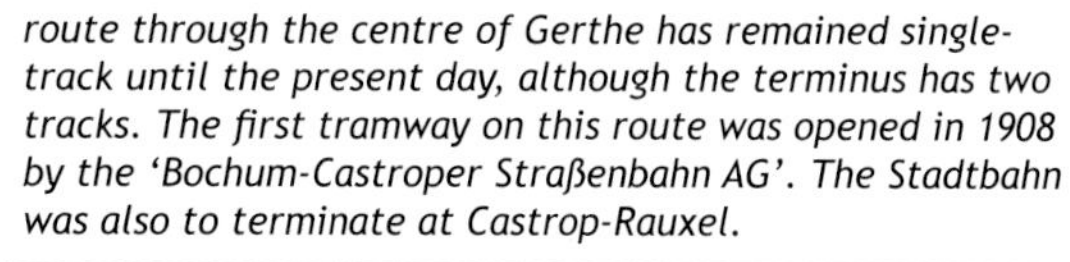

①② Planetarium
③ Ruhrstadion
④ Weserstraße RS
⑤ Gerthe CG

*The underground station **Planetarium** was added to the initial tunnel route in 1981, when through operation between Dahlhausen/Hattingen and Gerthe began. The trams emerge from the tunnel on a temporary ramp at **Ruhrstadion**. The following section runs on-street up to **Weserstraße**, from where a separate right-of-way is available. The on-street route through the centre of Gerthe has remained single-track until the present day, although the terminus has two tracks. The first tramway on this route was opened in 1908 by the 'Bochum-Castroper Straßenbahn AG'. The Stadtbahn was also to terminate at Castrop-Rauxel.*

Herne nahm 1989 auf einen Schlag die gesamte geplante Stadtbahninfrastruktur auf seinem Stadtgebiet in Betrieb. Im Anschluss verkehrte die Linie U35 bis 1993 als vollwertige kreuzungsfreie, vom restlichen Netz komplett getrennte U-Bahn bis Bochum Hauptbahnhof. Mit der dann erfolgten, nicht komplett kreuzungsfreien Südverlängerung nach Hustadt musste sie ihren U-Bahn-Status wieder abgegeben.

Schloss Strünkede ist der nördliche Endpunkt der U35. Für eine Weiterführung nach Recklinghausen bestehen bauliche Vorleistungen. Die historisierende Gestaltung des Bahnhofs mit braunen Klinkern und Emailtafeln nimmt Bezug auf das nah gelegene namensgebende Renaissance-Wasserschloss.

①-③ Schloss Strünkede
④⑤ Herne Bahnhof
①④ RS

In 1989, the city of Herne opened the entire Stadtbahn stretch planned for its municipality. Until 1993, line U35 operated as a full metro line between Schloss Strünkede and Bochum Hauptbahnhof, totally underground and grade-separated. The later southern extension to Hustadt, however, is not entirely without level crossings. The northern terminus ***Schloss Strünkede*** *is clad in dark red bricks in classical style, and the nearby water palace is depicted on several enamel panels on the walls.*

Der U-Bahnhof **Herne Bahnhof** besitzt einen Zugangspavillon auf dem Bahnhofsvorplatz, welcher inzwischen direkt in den neu gestalteten Busbahnhof integriert wurde. Wie bei Schloss Strünkede gibt es einen Mittelbahnsteig mit tragenden Säulen. Hier kann man zum Regionalverkehr sowie zur S-Bahnlinie S2 umsteigen.
Der U-Bahnhof **Herne Mitte** liegt zentral in der Fußgängerzone in einfacher Tiefenlage. Da hier Seitenbahnsteige gebaut wurden, gibt es an der Oberfläche für beide Fahrtrichtungen separate Eingänge.

*The underground station **Herne Bahnhof** has an entrance pavilion located in front of the railway station and integrated with a bus terminal. At Herne Bahnhof, transfer is provided to S-Bahn line S2 and to regional services. Like at Schloss Strünkede, there is an island platform with supporting pillars.*
*The underground station **Herne Mitte**, however, has side platforms and no mezzanine, so separate accesses have to be used for each direction. The station lies in the centre of Herne in a pedestrianised shopping street.*

① Herne Bahnhof
②-④ Herne Mitte

Der U-Bahnhof **Archäologie-Museum/ Kreuzkirche** ist neben Herne Bahnhof der zweite wichtige Umsteigepunkt zum lokalen Busnetz der HCR. Diese hat ihre Unternehmensbezeichnung Straßenbahn Herne - Castrop-Rauxel GmbH bis heute beibehalten, obwohl sie seit 1959 nur noch Busbetrieb durchführt. Der U-Bahnhof liegt quer unter dem Straßenzug Holsterhauser Straße/Sodinger Straße am südlichen Ende der Fußgängerzone. Die teilweise starken Farben der Wandverfliesung zeigen, dass die Planungen der U-Bahnhöfe in Herne bereits in den siebziger Jahren weit vorangeschritten waren.

*Besides Herne Bahnhof, the underground station **Archäologie-Museum/ Kreuzkirche** is another important transfer point between the Stadtbahn and local bus services operated by HCR (Straßenbahn Herne-Castrop-Rauxel GmbH), which, although the name may suggest otherwise, has only been operating buses since 1959.*
The underground station lies perpendicularly beneath the main roads Holsterhauser Straße and Sodinger Straße at the southern end of the Herne pedestrian zone. The bright 1970s colours of the tiling testify that the planning of the underground section through Herne was already well ahead at that time.

①-③ Archäologie-Museum / Kreuzkirche
④ Hölkeskampring

Das Zwischengeschoss des U-Bahnhofs **Hölkeskampring** ist durch einen offenen Einschnitt betretbar. Charakteristisch für diesen Bahnhof sind die rautenförmigen Wandverkleidungen aus Emailplatten. Der folgende Bahnhof **Berninghausstraße** hat wieder Seitenbahnsteige mit orange verfliesten Seitenwänden. Alle unterirdischen Bahnhöfe in Herne unterscheiden sich in ihrer aus der offenen Bauweise resultierenden rechteckigen Ausführung wesentlich von den bergmännisch gebauten Bochumer U-Bahnhöfen mit Rundprofilen.

*The mezzanine at **Hölkeskampring** is accessible from an open cutting. The rhombus-shaped enamel panels on the walls are a distinctive feature of this station.*
*The following station **Berninghausstraße** was built with side platforms and orange tiling. All underground stations in Herne have a rectangular shape as they were built by the cut-and-cover method, whereas stations in Bochum are of the tube type built by NATM.*

①② Hölkeskampring
③-⑤ Berninghausstraße

Rensingstraße ist der erste U-Bahnhof auf Bochumer Gebiet. Ab hier sind die Bahnhöfe in weitaus größerem Maße mit künstlerischen Gestaltungsdetails versehen. Bei Rensingstraße ist hierbei eine künstliche Bruchstelle im Zwischengeschoss zu nennen, welche die Gefahren des Bergbaus visualisieren soll.

***Rensingstraße** is the first station within the Bochum city boundaries. Stations in Bochum boast more artistic elements than those in Herne. The vestibule at Rensingstraße has an artificial crack in the wall and ceiling to illustrate the dangers of coal mining and tunnelling.*

①-③ Rensingstraße
④-⑥ Riemke Markt

Der U-Bahnhof **Riemke Markt** ist während der Woche tagsüber nach der morgendlichen Hauptverkehrszeit Endpunkt für jeden zweiten aus Hustadt kommenden Zug. Am südlichen Bahnhofskopf schließt die Ausfahrt zur Stadtbahnbetriebswerkstatt an, welche aus Richtung Herne kommend angefahren werden kann.
Der folgende Bahnhof **Zeche Constantin** schmückt sich mit alten Bergwerksansichten. Auf dem ehemaligen Zechengelände an der Oberfläche liegt heute die Betriebswerkstatt der U35.

*During daytime service on weekdays, **Riemke Markt** is the terminus for every other train from Hustadt. The Stadtbahn depot is accessible from the southern end of this station via the southbound track.*
*The next station **Zeche Constantin** is decorated with old views of coal pits. The surface area of the former colliery was converted into the Stadtbahn depot for line U35.*

① Riemke Markt
②-④ Zeche Constantin

Vorherrschendes Gestaltungselement des Bahnhofs **Feldsieper Straße** sowohl in den Zugangsbereichen als auch auf der Bahnsteigebene ist die Klinkerverkleidung.
Der Bahnhof **Deutsches Bergbau-Museum** ist nach dem Motto Geologie, Kohle und Zeche ausgebaut. An den Seitenwänden der Bahnsteigebene können Wartende einen Querschnitt durch ein unterirdisches Gebirge betrachten. Hier wird der Zusammenhang zwischen Bergbau und dem als Fortsetzung dieser Tradition begriffenen Stadtbahnbau deutlich herausgestellt. Ursprünglich sollte vom Zwischengeschoss ein Stollen zum Bergbau-Museum gebaut werden.

①-③ Feldsieper Straße
④⑤ Deutsches Bergbau-Museum

*Dark red bricks dominate the design of **Feldsieper Straße** station, from the entrances via the mezzanine down to the platform area. The theme in the station **Deutsches Bergbau-Museum** (German Mining Museum) is obviously coal mining and geology. Waiting passengers can study the different layers of the subsoil. The architects tried to illustrate that Stadtbahn construction is a logical consequence of the coal mining tradition in the Ruhr District. A coal mine gallery was once planned to take visitors directly from the station into the museum.*

Südlich des U-Bahnhofs **Bochum Rathaus (Nord)** trifft der neue Tunnel der Straßenbahnlinien 302/310 auf die Tunnelröhren der U35, beide Strecken verlaufen bis zum Hauptbahnhof weitgehend parallel. Vom südlichen Zwischengeschoss des U-Bahnhofs Rathaus (Nord) gibt es einen kurzen Verbindungsgang zum östlichen Zwischengeschoss der Station Rathaus (Süd) der Linien 302/310. Außerdem erreicht man hier die Einkaufsstraßen der Stadt. Der nördliche Zugang von Rathaus (Nord) erschließt dagegen ein eigenes Einzugsgebiet und bietet an der Oberfläche einen Übergang zur Straßenbahnlinie 306. An den Stationswänden hängen Luftbilder der Stadt Bochum, zwischen den Säulen werden die Partnerstädte Bochums präsentiert, darunter Sheffield, Oviedo und Nordhausen.

*To the south of **Bochum Rathaus (Nord)** station the new tunnel used by lines 302 and 310 gets aligned parallel to the older U35 tunnel on its way to Hauptbahnhof. From the southern vestibule there is a transfer corridor to Rathaus (Süd) station, served by lines 302/310, with an exit leading to the central shopping area. The northern exit serves other neighbourhoods and provides transfer to the surface stop on line 306. The walls are decorated with aerial views of the city of Bochum, and between the columns signs introduce passengers to Bochum's twinned cities, among them Sheffield, Oviedo and Nordhausen.*

① Deutsches Bergbau-Museum
②-④ Bochum Rathaus (Nord)

Am U-Bahnhof **Bochum Hauptbahnhof** kann man bequem am selben Bahnsteig von der Stadtbahnlinie U35 zu den Straßenbahnlinien 302 und 310 umsteigen (siehe S. 33). Eine Ebene höher halten die Linien 306, 308 und 318. Einziges Gestaltungsmerkmal der beiden dreischiffigen Bahnsteighallen sind die rot verfliesten Säulen.

*At **Bochum Hauptbahnhof** cross-platform interchange is provided between Stadtbahn line U35 and tram lines 302 and 310. The red tiles of the lower level distinguish it from the upper level, which has orange ones and which is used by tram lines 306, 308 and 318 (see p. 33).*

①② Bochum Hauptbahnhof
③④ Oskar-Hoffmann-Straße

Nahe des U-Bahnhofs **Oskar-Hoffmann-Straße** befindet sich die Hauptverwaltung der BOGESTRA mit dem zentralen Betriebshof Universitätsstraße, welcher seit der Eröffnung des neuen Betriebshofs Engelsburg im Jahr 2005 nicht mehr benötigt wird. Die Tunnelstation ist mit Motiven der Bochumer Straßenbahngeschichte geschmückt. Am in offener Bauweise erstellten Bahnhof **Waldring** gab es ein nahe liegendes Gestaltungsthema: Bäume. Beide Bahnhöfe verfügen über seitlich offene Zwischengeschosse mit frei liegenden Treppenaufgängen ins Straßenniveau, der Bahnhof Waldring hat außerdem eine Rampe.

①② Oskar-Hoffmann-Straße
③-⑤ Waldring

*Near the underground station **Oskar-Hoffmann-Straße**, the central BOGESTRA head office can be found next to the former depot Universitätsstraße, which has been out of service since the new facilities at Engelsburg opened in 2005. The underground station is therefore decorated with motives illustrating Bochum's tramway history.*

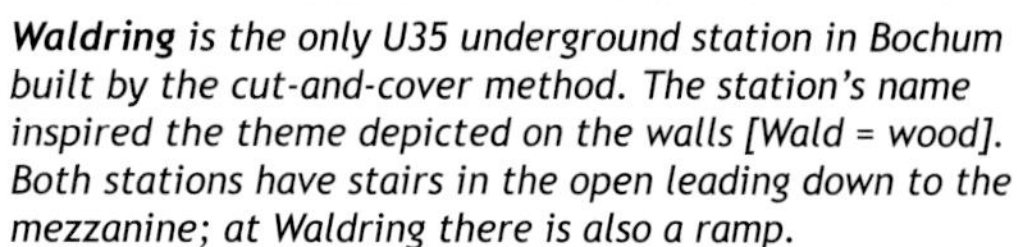

***Waldring** is the only U35 underground station in Bochum built by the cut-and-cover method. The station's name inspired the theme depicted on the walls [Wald = wood]. Both stations have stairs in the open leading down to the mezzanine; at Waldring there is also a ramp.*

Die oberirdische Strecke der U35 zwischen der Rampe Wasserstraße und Hustadt entstand 1971/72 meterspurig für die Straßenbahn im Mittelstreifen der Universitätsstraße, einer weitgehend kreuzungsfrei ausgebauten Schnellstraße. Anlässlich der Einführung des Stadtbahnbetriebs wurde die Strecke 1993 auf gleicher Trasse neu gebaut. Kreuzungen zwischen Stadtbahn und Autoverkehr gibt es nur an den Haltestellen **Wasserstraße** und **Brenscheder Straße** sowie in der Mitte zwischen diesen beiden Stationen, der Rest ist mitsamt der Haltestellenzugangswege völlig kreuzungsfrei.

*The surface route of line U35 from the ramp at Wasserstraße to Hustadt opened as a metre-gauge tram line in two stages between 1971 and 1972. It runs in the middle of the dual carriageway Universitätsstraße. The entire section was rebuilt in 1993 to be linked to the Stadtbahn line. The only level crossings can be found at **Wasserstraße** and **Brenscheder Straße**, with another one lying between them. The rest of the route is totally grade-separated, including accesses to the platforms.*

①② Wasserstraße
③ Brenschederstraße
④ Markstraße RS

Ihre hohe Bedeutung bezieht die U35 – welche als einzige Stadtbahnlinie des Ruhrgebiets tagsüber alle fünf Minuten fährt – in diesem südlichen Abschnitt zu großen Teilen aus der **Ruhr-Universität**. Diese wurde 1962 als erste neue Universität der Bundesrepublik Deutschland gegründet und beherbergt heute rund 33.000 Studierende. Der Bahnhof Ruhr-Universität ist seiner Bedeutung entsprechend mit zwei breiten Seitenbahnsteigen und einer Bahnsteighalle aus Stahl und Glas der Architektin Anuradha Reichardt ausgebaut. Von der Endstation **Hustadt** sollte ursprünglich eine Verlängerung bis Witten gebaut werden, heute ist eine kurze Anschlussstrecke bis zur Fachhochschule an der Ostseite des Universitätsgeländes geplant.

①-③ Ruhr-Universität RS
④ Lennershof
⑤ Hustadt

*Line U35, which is the only Stadtbahn line in the Ruhr District that operates a daytime 5-minute headway, is especially busy because it serves the **Ruhr-Universität**, founded in 1962 and with some 33,000 students at present. The University station has wide side platforms with an overall roof made of steel and glass designed by Anuradha Reichardt. From the current terminus **Hustadt** an extension to Witten had originally been planned, but a short extension to the Fachhochschule on the eastern side of the University campus is now more likely.*

(II) U42 Städtische Kliniken

Mit rund 585.000 Einwohnern ist Dortmund inzwischen genauso groß wie Essen. Als östlichste Großstadt des engeren Ruhrgebiets ist Dortmund als Bindeglied zwischen der Ballungszone und dem westfälischen Raum. Die Funktion als Oberzentrum reicht weit nach Osten und bis in das Sauerland hinein, Dortmund gilt als ‚heimliche Hauptstadt' Westfalens. Im Jahr 990 mit Marktrechten versehen, hatte Dortmund zu Zeiten der Hanse bis zu 15.000 Einwohner und war damit eine der größten Städte des heutigen Bundesgebiets. Im späten Mittelalter verlor die Stadt aber zunehmend an Bedeutung. Durch den Kohlebergbau und die Stahlverarbeitung setzte dann Mitte des 19. Jahrhunderts ein enormes Wachstum ein. Das heutige Stadtgebiet entstand im Wesentlichen 1928/29 durch Eingemeindung großer Teile der ehemaligen Landkreise Dortmund und Hörde sowie der bereits 1340 mit Stadtrechten versehenen Stadt Hörde. Nach großflächigen Kriegszerstörungen wurde die Innenstadt in moderner Architektur wieder aufgebaut. Heute bezieht Dortmund seine Bedeutung vorwiegend als Dienstleistungszentrum, Universitäts- und Einkaufsstadt.

_ Streckennetz

Das normalspurige Schienennetz der Dortmunder Stadtwerke AG (DSW21) ist nach dem sukzessiven Ausbau der Straßenbahn zur Stadtbahn heute in klassischer Dreiecksform aufgebaut. In der Innenstadt gibt es die drei Umsteigestationen Kampstraße, Reinoldikirche und Stadtgarten, in denen sich jeweils zwei von insgesamt drei Stammstrecken kreuzen. Damit kann innerhalb des Schienennetzes jeder beliebige Punkt mit maximal einmaligem Umsteigen erreicht werden.

With some 585,000 inhabitants, Dortmund is about the same size as Essen. It is the easternmost city in the Ruhr District, and thus functions as a link between the conurbation and neighbouring Westphalia, of which it is considered the unofficial capital. In 990, it was granted the privilege of holding a market, and during the times of the Hanseatic League it was one of Germany's largest cities, with 15,000 inhabitants. Towards the end of the Middle Ages the city lost its importance, but it began to grow rapidly from the middle of the 19th century when the coal and steel industries became the most important economic activities in the area. The present city boundaries date from 1928/29, when large parts of the two surrounding 'Landkreise', Dortmund and Hörde, along with the town of Hörde were annexed. Suffering heavy destruction during World War II, the inner city was rebuilt with modern architecture. Today, Dortmund is an important city for services, education and shopping.

_ The Network

After gradual conversion from tramway to Stadtbahn, the standard-gauge system operated by the 'Dortmunder Stadtwerke AG' (DSW21) represents a triangular network. In the city centre there are three interchange stations, Kampstraße, Reinoldikirche and Stadtgarten, each providing transfer between two of the three trunk routes. In this way, any station on the network can be reached by changing trains only once.

Die drei Stammstrecken werden in Dortmund planerisch mit den römischen Ziffern I, II und III bezeichnet.
Insgesamt ist der stadtbahngerechte Ausbau des Dortmunder Netzes inzwischen weit fortgeschritten. Über die Strecken I und II verkehren heute ausschließlich Stadtbahnlinien. Beide Achsen verlaufen im Zentrum unterirdisch und verzweigen sich in den Außenbereichen. An die Stammstrecke I von Nordwesten nach Südosten über den Hauptbahnhof schlie-

In planning documentation, the three trunk routes are identified by the Roman numerals I, II and III.
Conversion to Stadtbahn standard has reached an advanced stage in Dortmund. Routes I and II are exclusively operated with Stadtbahn vehicles, both running underground through the city centre with several branches to outer areas. Route I runs from the northwest to the southeast via Hauptbahnhof [central station], and has four branches at the southern

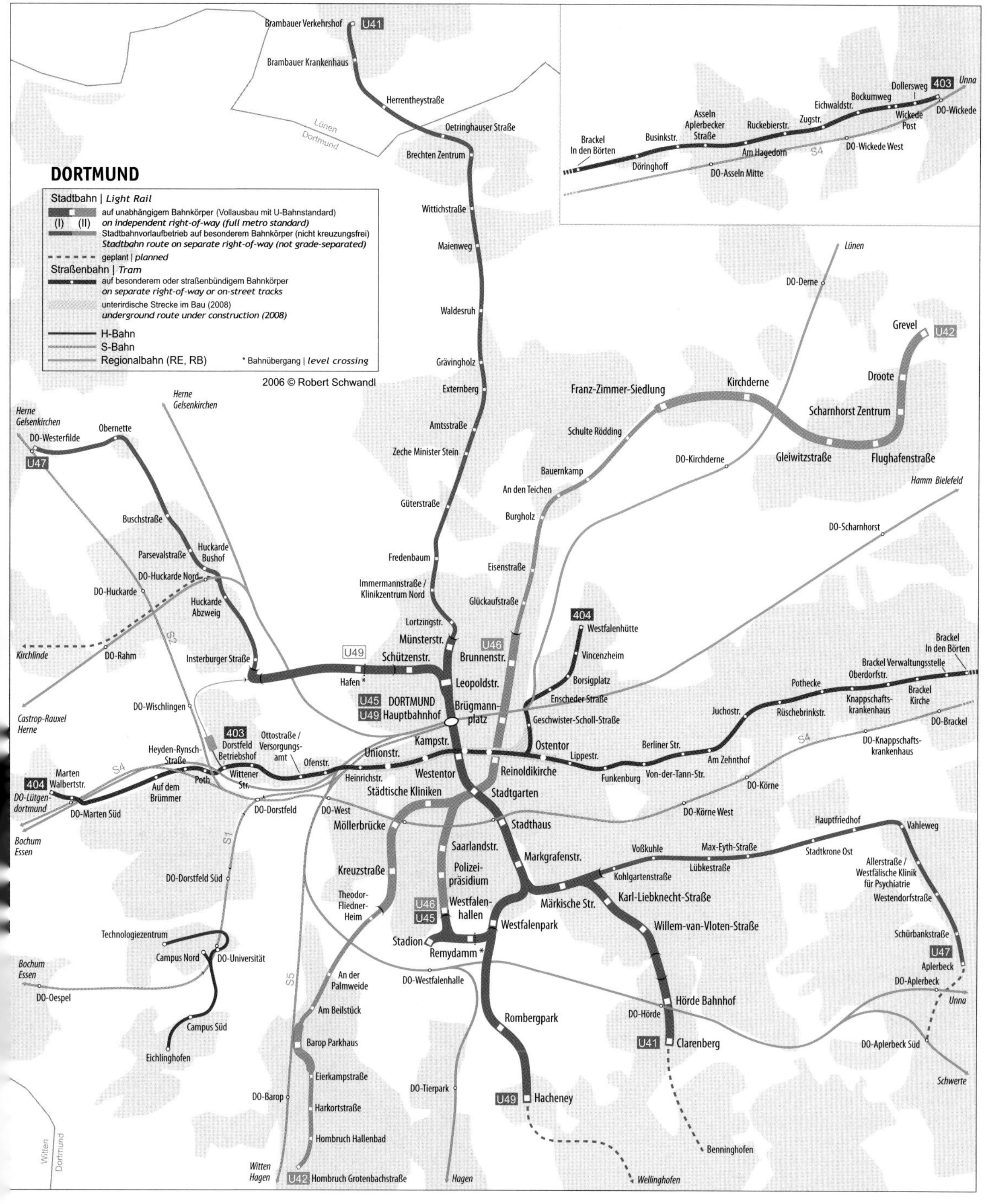

(II) U42/U46 Brunnenstraße

ßen im Süden vier Außenstrecken in Richtung Westfalenhallen, Hacheney, Hörde-Clarenberg und Aplerbeck an, welche mit Ausnahme des Abschnittes nach Aplerbeck kreuzungsfrei ausgebaut sind. Im Norden gibt es zwei nicht kreuzungsfreie Linienäste nach Westerfilde und Brambauer. Die Stammstrecke II von Nordost nach Südwest über Reinoldikirche führt im Norden ohne Verzweigung nach Grevel. Das nördlichste Stück stellt dabei eine kreuzungsfreie Hochbahn dar. Im Süden schließen zwei Strecken nach Hombruch sowie wiederum zu den Westfalenhallen an. Auch hier ist die Strecke zu den Westfalenhallen mit Anschluss an die Strecke I kreuzungsfrei. Der barrierefreie Ausbau aller Stationen der Strecken I und II mit Hochbahnsteigen sowie Rampen oder Aufzügen ist mit Ausnahme der Aplerbecker Strecke fast abgeschlossen.
Die Strecke III in Ost-West-Richtung entlang der traditionellen Verkehrsachse des Hellweges liegt heute noch vollständig an der Oberfläche und über weite Teile auf straßenbündigem Bahnkörper, sie wird mit Straßenbahnzügen bedient. Hochbahnsteige gibt es hier nicht. Der östliche Abschnitt von Brackel nach Wickede ist heute noch komplett eingleisig und entspricht vielfach noch dem Charakter der einstigen Überlandstraßenbahn nach Unna. Am östlichen Rand der Innenstadt zweigt von der eigentlichen Ost-West-Achse eine kurze Stichstrecke zur Westfalenhütte ab. Der dritte Innenstadttunnel für die Strecke III ist rohbaufertig und soll 2008 eröffnet werden.
Mit Ausnahme der Strecke von Brechten bis Brambauer, einem Vorort der Stadt Lünen, liegt das Netz ausschließlich auf Dortmunder Stadtgebiet. Berührungspunkte mit benachbarten Straßenbahnsystemen gibt es seit den sechziger Jahren nicht mehr.

_ Betrieb

Gemäß der Systematik des Verkehrsverbunds Rhein-Ruhr sind die Stadtbahnlinien als Schnellverkehr mit einem ‚U' sowie zweistelligen und die Straßenbahnlinien mit dreistelligen Liniennummern versehen. Die Nummerierung der Dortmunder Linien nimmt bislang keinen Bezug auf die drei Stammstrecken, sondern entwickelte sich aus den alten Nummern der Straßenbahn. Insbesondere auf der Strecke I tauschten die Linien in der Vergangenheit meist wegen Veränderungen beim Wageneinsatz des Öfteren ihre Außenstrecken. Derzeit gibt es folgende Linien:
Strecke I:
- U41 Brambauer – Hörde
- U45 Hauptbahnhof – Westfalenhallen
- U47 Westerfilde – Aplerbeck
- U49 (Hafen –) Hauptbahnhof – Hacheney

side, going to Westfalenhallen, Hacheney, Hörde-Clarenberg and Aplerbeck. All branches except that to Aplerbeck are totally grade-separated. At the northern side there are two branches, to Westerfilde and Brambauer, which are not grade-separated.
Route II, running from the northeast to the southwest via Reinoldikirche, only has a single northern leg going to Grevel, with the northernmost part constituting a grade-separated elevated line. In the south there is a branch to Hombruch and another to Westfalenhallen, the latter being totally grade-separated and directly linked to route I. Except for the branch to Aplerbeck, most stations and stops on routes I and II have meanwhile been upgraded with high platforms, and either ramps or lifts to provide full accessibility.
Route III runs east-west along the historic Hellweg. At present, it still lies entirely on the surface, with long street-running sections but no high platforms. This route is operated with tram vehicles. The easternmost section from Brackel to Wickede remains single-track and preserves its appearance from the days when it used to continue as an interurban tramway to Unna. At the eastern side of the city centre a short line diverges from the main east-west route to serve Westfalenhütte. The construction of the cross-city tunnel for route III has largely been completed, although it will not be brought into service before 2008.
The entire network lies within the Dortmund city boundaries, except the section from Brechten to Brambauer, which is part of Lünen. Since the 1960s there has not been a link to neighbouring systems.

_ Operation

In accordance with the numbering systems used for the entire Verkehrsverbund Rhein-Ruhr (tariff union), Stadtbahn lines have a 2-digit number with a U-prefix, whereas tram lines carry a 3-digit number. Line numbers do not relate to the three trunk routes, but instead are derived from the former tram numbering system. On route I in particular, lines have frequently changed from one branch to another in the past, mostly to take the best advantage of the rolling stock used. At present, the following lines exist:

Route I:
- *U41 Brambauer - Hörde*
- *U45 Hauptbahnhof - Westfalenhallen*
- *U47 Westerfilde - Aplerbeck*
- *U49 (Hafen -) Hauptbahnhof - Hacheney*

(I) U41/U45/U47/U49 Stadtgarten

Strecke II:
- U42 Grevel – Hombruch
- U46 Brunnenstraße – Westfalenhallen

Straßenbahn/Strecke III:
- 403 Dorstfeld – Wickede
- 404 Marten – Westfalenhütte

An den Westfalenhallen gehen die Linien U45 und U46 nach kurzem Aufenthalt ineinander über. Der Abzweig zum nahen Stadion wird nur bei Veranstaltungen bedient.
Als Besonderheit wird in Dortmund als Linienendpunkt nicht die Endhaltestelle, sondern der jeweilige Stadtteil angegeben (z.B. U41 nach ‚Hörde' statt ‚Clarenberg').
Das Dortmunder Fahrplanangebot zeigt sich gegenüber anderen Städten des Ruhrgebiets als sehr attraktiv und leicht einprägsam. Grundsätzlich wird von Montag bis Samstag tagsüber durchgehend ein 10-Minuten-Takt und abends sowie sonntags ein Viertelstundentakt angeboten. Deutlich komplexer zeigt sich lediglich der Fahrplan der Linie 403. Hier kommen tagsüber zwischen Westentor und Brackel über den Grundtakt hinaus Kurzläufer hinzu, die auf dem zentralen Abschnitt das Angebot verdoppeln. Die lang laufenden Fahrten haben gleichzeitig unterschiedliche Endhaltestellen: Im Westen wenden sie auf der gemeinsam mit der Linie 404 bedienten Strecke je nach Verkehrszeit in Dorstfeld oder Westentor. Im Osten werden während der Zeiten des 10-Minuten-Taktes wegen der eingleisigen Streckenführung abwechselnd die Endstationen Wickede Post und Wickede S-Bahnhof bedient, zu den Zeiten des Viertelstundentaktes immer der S-Bahnhof. Abweichungen vom Grundtakt in kleinerem Maße gibt es daneben auf den Linien U41, U45 und U49. Auf der U41 fährt zu allen Zeiten nur jeder zweite Zug über Brechten bzw. abends über Grävingholz hinaus nach Brambauer. Die schwächer belasteten Linien U45 und U49 verkehren abends generell nur halbstündlich. An Schultagen wird die U49 andererseits morgens im 10-Minuten-Takt über den Hauptbahnhof hinaus bis Hafen weitergeführt. Die letzten Fahrten verlassen das Zentrum gegen Mitternacht, anschließend setzt ein umfangreiches Nachtbusnetz ein.

_ Straßenbahnentwicklung

Das Schienennetz der DSW21 entwickelte sich aus drei elektrischen Straßenbahnbetrieben: Der Dortmunder Straßenbahn, der Hörder Kreisbahn und der Elektrischen Straßenbahn des Landkreises Dortmund.
Die normalspurige Dortmunder Straßenbahn war das älteste Unternehmen. Bereits 1881 wurde die erste Pferdebahnlinie eröffnet. Wenig später folgte der Dampfbetrieb, zunächst nur für kurzzeitige Güterverkehre, später dann für den Personenverkehr. 1894 wurde die erste Linie elektrifiziert und das Netz anschließend zügig erweitert. 1906 übernahm die Stadt Dortmund den vorher privatwirtschaftlichen Betrieb, seit 1939 sind die Dortmunder Stadtwerke für die Straßenbahn verantwortlich.
Die Elektrischen Straßenbahnen des Landkreises Dortmund waren westlich, nördlich und östlich des Dortmunder Zentrums tätig. An das städtische Straßenbahnnetz anschließend eröffneten sie ab 1904 normalspurige eingleisige Überlandbahnen nach Lütgendortmund, Ickern, Henrichenburg, Brambauer, Lünen und Unna. Bereits 1914 wurden die Landkreisbahnen mit der städtischen Straßenbahn vereinigt. Vorhanden sind heute noch die Strecke nach Brambauer sowie Teilabschnitte der Überlandbahnen nach Unna und Lünen. 1923 entstand im Verkehrsgebiet der Landkreisbahn bereits unter Regie der Dortmunder Straßenbahn die abseits von Straßen verlaufende Schnellstraßenbahnstrecke von Huckar-

(III) 403 Brackel/In den Börten

Route II:
- *U 42 Grevel - Hombruch*
- *U 46 Brunnenstraße - Westfalenhallen*

Tram/Route III:
- *403 Dorstfeld - Wickede*
- *404 Marten - Westfalenhütte*

At Westfalenhallen, line U45 changes its line number and continues as line U46, and vice versa. The short branch to the stadium is only served during special events.
In Dortmund, it is not the last station of the line that is shown as the destination, but the city district (e.g. U41 to 'Hörde' instead of 'Clarenberg').
Compared to other cities in the Ruhr District, Dortmund's timetable is quite attractive and easy to remember. On all lines there is a 10-minute headway during daytime hours from Monday to Saturday, and a 15-minute headway in the evenings and on Sundays. On line 403, there are extra trams between Westentor and Brackel to provide a 5-minute service during the day. At certain hours, tram 403 terminates at Dorstfeld or Westentor in the west, and in the east every other tram terminates at Wickede Post, when a 10-minute headway is operated; at other times, all trams go to Wickede S-Bahnhof. On U41, only every other train continues from Brechten (from Grävingholz in the evenings) to Brambauer. U45 and U49 only operate every 30 minutes in the evenings. On school days, however, U49 is extended from Hauptbahnhof to Hafen during the morning peak hours. The last trains leave the city centre at around midnight, with a night bus service taking over after that.

_ Evolution of the Tram Network

The present DSW21 network emerged from three electric tram companies: the 'Dortmunder Straßenbahn', the 'Hörder Kreisbahn' and the 'Elektrische Straßenbahn des Landkreises Dortmund'.
The standard-gauge 'Dortmunder Straßenbahn' was the first tramway company. It began operating a horse-drawn tramway line in 1881, which was soon followed by steam-hauled operation, initially only for freight traffic, but later also for passenger traffic. The first tram line was electrified in 1894 and the network subsequently expanded rapidly. In 1906, the city of Dortmund took over the formerly privately owned company, and since 1939 'Dortmunder Stadtwerke' has been responsible for tram operation.

de über Westerfilde nach Mengede. Auf ihr fuhren Vierachser zunächst unter 1.200 V, die für das Stadtnetz auf 600 V umschaltbar waren, später setzte man die Spannung zwecks Vereinheitlichung herunter. Die Trasse der Schnellstraßenbahn ist heute abschnittsweise Teil der Stadtbahnlinie U47 sowie der S-Bahnlinie S2.
Die Hörder Kreisbahn als drittes Ursprungsunternehmen entwickelte sich unter Regie der Allgemeinen Lokal- und Straßenbahn-Gesellschaft Berlin (Alsag) im damals selbstständigen Landkreis Hörde südlich von Dortmund. Sie eröffnete ab 1899 ein meterspuriges, meist eingleisiges Überlandbahnnetz um Hörde herum. Die Hauptstrecke verlief von Hörde nach Schwerte. Ebenso nahm die Alsag 1903 eine an die Straßenbahn anschließende Standseilbahn zur Ruine Hohensyburg in Betrieb, stellte sie aber schon 1915 wieder ein. 1928 wurde anlässlich der damaligen kommunalen Neugliederung dann auch die Hörder Kreisbahn von der Dortmunder Straßenbahn übernommen. Diese plante zunächst, das Netz auf Normalspur umzustellen. Letztendlich wurden aber nur kurze, an das Dortmunder Netz anschließende Teilstücke umgebaut und die restlichen Meterspurstrecken bis 1954 stillgelegt. Insbesondere unterblieb die geplante Neutrassierung der Strecke nach Schwerte als Schnellstraßenbahn. Aus dieser Historie wird verständlich, weshalb die südlichen Streckenäste des Dortmunder Stadtbahnnetzes bis heute relativ kurz sind und die weiter südlich liegenden Vororte nur durch Buslinien erschlossen werden.
Nach dem zweiten Weltkrieg begannen in Dortmund wie etwa auch in Essen bereits vor der Aufstellung des Stadtbahnkonzeptes die Planungen für einen Ausbau der Straßenbahn. Zwar wurden die ungenügend trassierten Überlandbahnen weitgehend aufgegeben, doch sollte das restliche Netz erhalten und auch erweitert werden. Die Bestrebungen richteten sich zunächst auf die Schaffung besonderer Bahnkörper sowie den zweigleisigen Ausbau. In den sechziger Jahren begann man, über Tunnelstrecken nachzudenken.
Lange vor den ersten Überlegungen zum Bau des Stadtbahnnetzes entstand 1959 eine weitgehend kreuzungsfreie Schnellstraßenbahnstrecke nach Hacheney. Als Gemeinschaftsprodukt paralleler Straßenausbauten verläuft sie größtenteils in Mittellage der autobahnähnlichen B54. Gleichzeitig wurde eine Verbindungsspange zwischen der Schnellstraßenbahn und dem Stadion in Betrieb genommen. Diese diente zunächst nur Sonderverkehren, allerdings mit teilweise erheblichem Fahrgastaufkommen.

_ Stadtbahnkonzept

Am 24.6.1968 wurde aufbauend auf dem damaligen Generalverkehrsplan der Stadt Dortmund die Linienführung des zu bauenden Stadtbahnnetzes mit unterirdischen Strecken im Stadtzentrum beschlossen. Die Planung legte die drei Grundstrecken I, II und III sowie ihre Linienführung im Zentrum als Dreieck fest.

- Strecke I: Brambauer/Castrop-Rauxel – Hauptbahnhof – Kampstraße – Stadtgarten – Hörde/Hacheney/Aplerbeck
- Strecke II: Grevel/Westfalenhütte – Reinoldikirche – Stadtgarten – Westfalenhallen/Hombruch
- Strecke III: Dorstfeld – Kampstraße – Reinoldikirche – Brackel

Nachdem ein Jahr später 1969 die Stadtbahngesellschaft Ruhr gegründet worden war, konnte dieses Konzept quasi unverändert in die ruhrgebietsweite Schnellbahnplanung übernommen werden. In ihren eigenen Vorplanungen ging die Stadt allerdings stets davon aus, zunächst lediglich Tunnelanlagen für die Straßenbahn zu errichten und diese über Rampen mit dem bestehenden Netz zu verbinden. Kurzzeitig

The 'Elektrische Straßenbahn des Landkreises Dortmund' operated tram lines to the west, north and east of the city. Linked to the urban network, from 1904 this company opened standard-gauge single-track interurban lines to Lütgendortmund, Ickern, Henrichenburg, Brambauer, Lünen and Unna. In as early as 1914 these lines were merged with the municipal network. Out of these lines, the route to Brambauer and some sections of the routes to Unna and Lünen have survived.
In 1923, a rapid tram route was opened from Huckarde to Mengede via Westerfilde, initially being operated with 4-axle vehicles that used 1200 V, but able to switch to 600 V to continue on the urban network. Later, the tension was changed to 600 V on the interurban section too. This route was later partly incorporated into Stadtbahn line U47 and partly converted to S-Bahn (S2).
The third company, the 'Hörder Kreisbahn', was part of the 'Allgemeine Lokal- und Straßenbahn-Gesellschaft Berlin' (ALSAG); in 1899 it started operating a metre-gauge, mostly single-track network around Hörde, south of Dortmund. The main route was from Hörde to Schwerte. In 1903, the ALSAG opened a funicular linked to the tramway line to provide access to the Hohensyburg ruins. This funicular, however, was closed in 1915. The 'Hörder Kreisbahn' was absorbed by the 'Dortmunder Straßenbahn' in 1928 when Hörde became part of the city of Dortmund. The Hörde network was to be regauged, but eventually only short stretches linked to the Dortmund network were converted, with the rest being abandoned by 1954. The planned upgrading of the route to Schwerte did not materialise. The southern branches of the present network have therefore remained rather short, with the southern suburbs only accessible by bus.
As in Essen, plans to upgrade the tramway network were released immediately after World War II. The badly aligned interurban routes were to be abandoned, but the rest were to be maintained and even expanded. The initial effort was concentrated on double-tracking, as well as the construction of a separate right-of-way where possible. The first proposals for tunnel routes appeared during the 1960s.
Long before the Stadtbahn network had been planned, a largely grade-separated rapid tram route opened in 1959 to Hacheney, running in the middle strip of the dual carriageway B54. At the same time, a link between this fast route and the stadium was brought into service. It was initially only used during special events, but had to carry a considerable volume of traffic.

(I) Fredenbaum (Schleife | *Loop*) RS

Schienennetz | *Rail Network*

Netz *Network*	Linien *Lines*	Netzlänge *Network Length*
Stadtbahn (U41 - U42 - U45 - U46 - U47 - U49)	*6*	*52,4 km*
Straßenbahn | *Tram* (403 - 404)	*2*	*22,7 km*
Total	*8*	*75,1 km*

Stadtbahn - Streckenchronik | *Line History*

Unabhängige Stadtbahnstrecke *Independent Stadtbahn Route*	Länge *Length*	Bahnhöfe *Stations*	Eröffnung *Opening*	Stadtbahnbetrieb *Stadtbahn Operation*
Franz-Zimmer-Siedlung – Grevel (II)	*4555 m*	*7*	*15-05-1976*	*26-09-1992*
Hörde Bahnhof – Clarenberg (I)	*1279 m*	*2*	*27-05-1983*	*10-05-1987*
Hafen – Leopoldstraße (I)	*1190 m*	*2*	*03-06-1984*	*10-06-1991**
Lortzingstraße – Leopoldstraße (I)	*965 m*	*2*	*03-06-1984*	*10-05-1987**
Leopoldstraße – Markgrafenstraße (I)	*2190 m*	*5*	*03-06-1984*	*10-05-1987**
Markgrafenstraße – Hacheney (I)	*3390 m*	*3*	*03-06-1984*	*10-06-1991***
Markgrafenstraße – Rampe Märkische Straße (I)	*787 m*	*--*	*03-06-1984*	*10-05-1987*
Märkische Straße – Hörde Bahnhof (I)	*1762 m*	*3*	*24-08-1986*	*10-05-1987*
Märkische Straße – Kohlgartenstraße (I)	*1020 m*	*1*	*24-08-1986*	*25-09-1994*
Westfalenpark – Stadion (I)	*852 m*	*2*	*27-05-1990*	*27-05-1990***
Station Hafen (I)	--	*1*	*10-06-1991*	*10-06-1991**
Hafen – Insterburger Straße (I)	*2058 m*	*1*	*13-01-1992*	*13-01-1992**
Glückaufstraße – Stadtgarten (II)	*2560 m*	*4*	*26-09-1992*	*26-09-1992*
Obernette – Westerfilde (I)	*377 m*	*1*	*23-08-1993*	*23-08-1993*
Stadtgarten – Städtische Kliniken (II)	*793 m*	*1*	*01-04-1995*	*01-04-1995*
Stadtgarten – Polizeipräsidium (II)	*1152 m*	*2*	*28-05-1996*	*28-05-1996*
Polizeipräs. – Westfalenhallen – Stadion/Remydamm (I)(II)	*805 m*	*1*	*21-05-1998*	*21-05-1998*
Städtische Kliniken – Theodor-Fliedner-Heim (II)	*1796 m*	*3*	*16-06-2002*	*16-06-2002*
Station Hauptfriedhof (I)	--	*1*	*06-12-2003*	*06-12-2003*
Station Barop Parkhaus (II)	--	*1*	*20-03-2005*	*20-03-2005*

Stadtbahn-Zulaufstrecke | *Stadtbahn Feeder Line*		Hst. | *Stops*	
Westfalenpark – Hacheney / Stadion			*30-04-1959*
Lortzingstraße – Fredenbaum (I)	*1096 m*	*3*	*10-05-1987**
Insterburger Straße – Huckarde Bushof (I)	*1285 m*	*2*	*13-01-1992****
Glückaufstraße – Franz-Zimmer-Siedlung (II)	*3293 m*	*6*	*26-09-1992*
Huckarde Bushof – Obernette (I)	*3010 m*	*3*	*23-08-1993****
Kohlgartenstraße – Aplerbeck (I)	*5383 m*	*12*	*25-09-1994*
Fredenbaum – Brechten (I)	*5174 m*	*9*	*16-11-1999*
Brechten – Brambauer (I)	*2409 m*	*4*	*06-01-2002*
Theodor-Fliedner-Heim – Hombruch (II)	*3200 m*	*7*	*16-06-2002*

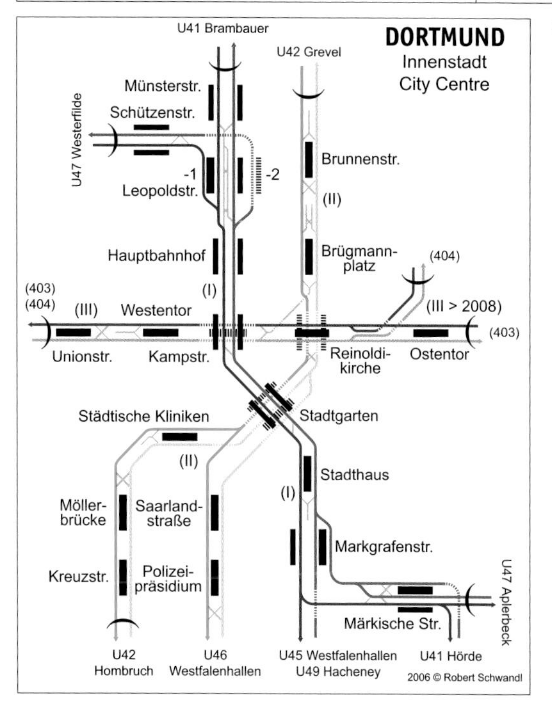

Mischbetrieb Stadtbahn/Straßenbahn bis | *Mixed Stadtbahn/Tram service until*
*15-11-1999, **27-09-1997, ***15-08-1993

(I) U41/U45/U47U49 Hauptbahnhof

(II) U42 Droote

stand das Land Nordrhein-Westfalen derartigen Überlegungen zugunsten der sofortigen Schaffung durchgehend kreuzungsfreier Stadtbahnstrecken im Endausbau ablehnend gegenüber, letztendlich wurde aber 1974 die Entscheidung zum Straßenbahn-Vorlaufbetrieb in fertigen Tunneln bestätigt. Abgesehen davon, dass nicht alle Außenstrecken komplett kreuzungsfrei ausgebaut wurden und die Strecke zur Westfalenhütte an die dritte Grundachse anschließt, ist die Planung weitgehend deckungsgleich mit dem heutigen Netz. Die einzige fehlende Strecke ist jene nach Castrop-Rauxel, welche in Huckarde an das heutige Netz anschließen und langfristig auch eine Stadtbahn-Netzverbindung mit Bochum ermöglichen sollte. Ursprünglich wurde diese Relation sogar als eigenständige Strecke V bezeichnet. Nachdem die Stadt Castrop-Rauxel aber bereits 1982 aus der Stadtbahngesellschaft Rhein-Ruhr ausgetreten war, rückte der Bau der Strecke in weite Ferne. Für den Fall, dass die Bochumer Stadtbahn Castrop-Rauxel erreichen sollte, wurde zuletzt nur noch eine eingleisige Betriebsverbindung ab Westerfilde projektiert.

_ Stadtbahnbau

Aufbauend auf den Planungen der Stadt sowie dem daraus weiterentwickelten Stadtbahnkonzept begann der Tunnelbau in Dortmund am 22.10.1969. Wegen der langen Tunnelbauzeit war die erste nach Stadtbahngesichtspunkten kreuzungsfrei trassierte Strecke Dortmunds wie in Duisburg dann jedoch eine Außenstrecke an der Oberfläche: Zur Anbindung der neuen Trabantenstadt Scharnhorst im Nordosten des Stadtgebiets wurden bereits Mitte der sechziger Jahre erste Planungen für eine Schnellstraßenbahnstrecke nach Scharnhorst und Grevel durchgeführt. Zunächst war eine Führung auf besonderem Bahnkörper mit Niveaukreuzungen sowie ein Anschluss an die Straßenbahnlinie zur Westfalenhütte (heute Linie 404) angedacht. Diese Linie verlief über eine damals noch öffentliche Straße in das heutige Werksgelände der Westfalenhütte hinein, so dass eine recht direkte Weiterführung in Richtung Scharnhorst möglich gewesen wäre. Nachdem dann aber beschlossen worden war, zwecks industrieller Erweiterungen diese Straße für den öffentlichen Verkehr zu sperren und mittelfristig auch die Straßenbahn südlich der Westfalenhütte am heutigen Endpunkt abzubinden, plante man die Anbindung von Scharnhorst und Grevel an das Schienennetz um. Fortan sollte die Neubaustrecke in Höhe der Haltestelle Franz-Zimmer-Siedlung an die damalige Straßenbahnstrecke vom Stadtzentrum nach Derne, dem Rest der ehemaligen Überlandbahn nach Lünen, anschließen.

_ The Stadtbahn Concept

On 24 June 1968 the city of Dortmund decided to build a Stadtbahn network with underground sections in the city centre, with the three trunk routes I, II and III forming a triangle in the city centre:

- route I: Brambauer / Castrop-Rauxel - Hauptbahnhof - Kampstraße - Stadtgarten - Hörde / Hacheney / Aplerbeck
- route II: Grevel / Westfalenhütte - Reinoldikirche - Stadtgarten - Westfalenhallen / Hombruch
- route III: Dorstfeld - Kampstraße - Reinoldikirche - Brackel

When the 'Stadtbahngesellschaft Ruhr' was founded in 1969, this basic layout was integrated into the overall Stadtbahn project for the Ruhr District. The original plans, however, had been made for tram operation in tunnels, with ramps linking these tunnels to the existing network. For several years the government of the state of North-Rhine - Westphalia intended only building fully grade-separated routes, but in 1974 the decision was taken that the completed tunnels could be used for temporary tram operation. The present Stadtbahn network coincides largely with the original project, except for the fact that not all surface routes have been built totally grade-separated, and that the branch to Westfalenhütte remains linked to route III. The only branch not built at all is the one to Castrop-Rauxel, which was to diverge from the Westerfilde route at Huckarde and eventually form a link to the Bochum network. At some stage it was even referred to as route V. Once the city of Castrop-Rauxel had left the 'Stadtbahngestellschaft Rhein-Ruhr' in 1982, this branch was shelved. Should the Stadtbahn reach Castrop-Rauxel from Bochum one day, a single-track service link would be built from Westerfilde.

_ Stadtbahn Construction

Tunnel construction began in Dortmund on 22 October 1969. As in Duisburg, the first Stadtbahn-like section to be brought into service was not a tunnel route in the city centre, but a surface route through the suburbs. The rapid tram route to the new satellite town of Scharnhorst had already been planned during the mid-1960s. Initially, a route on a separate right-of-way but with level crossings and linked to the tram system at Westfalenhütte (now line 404) had been envisaged. This tram line used to run on a then public road across the terrain of a steelmaking factory, and would have continued on a direct route to Scharnhorst. When this road was closed to expand the factory, plans for the tram route to Scharnhorst had to be modified. It was then linked to the existing tram network at Franz-Zimmer-Siedlung on the line from the city centre to Derne, the remaining part of the former interurban line to Lünen. As part of the 1969 Stadtbahn project, the entire new route was eventually built totally grade-separated, with a long elevated section. It opened in 1976, when the northern section of the original tram line to Derne was abandoned and trams were rerouted onto the new line instead. The section between the city centre and Franz-Zimmer-Siedlung has several level crossings, but it is entirely on a separate right-of-way along the middle strip of the road. On the newly built section there were four elevated stations serving Scharnhorst, plus another one at Kirchderne, and the terminus Grevel which lies at-grade. Between Kirchderne and Gleiwitzstraße, the route passes under the mainline railway to Lünen, with an option for a future interchange station. The initial reversing loop at Grevel was later rebuilt with two bay tracks and an island platform. The entire route is signalled.

(I) Leopoldstraße

Nach Aufstellung des Stadtbahnkonzeptes wurde 1969 letztendlich eine vollständig kreuzungsfreie Lösung mit einem längeren Hochbahnabschnitt in Scharnhorst beschlossen. 1976 konnte die Eröffnung gefeiert werden. Gleichzeitig wurde der Straßenbahnabschnitt von Franz-Zimmer-Siedlung bis Derne stillgelegt und die bislang nach Derne fahrende Straßenbahnlinie im Vorlaufbetrieb auf die neue Strecke umgelegt. Das weiterhin benutzte Bestandsstück vom nördlichen Rande des Zentrums bis Franz-Zimmer-Siedlung ist zwar nicht kreuzungsfrei, liegt aber komplett auf besonderem Bahnkörper in Straßenmittellage. Im Zuge des kreuzungsfreien Neubauabschnitts gibt es vier Hochbahnstationen in zentraler Lage von Scharnhorst, außerdem die Zwischenstation Kirchderne und die ebenerdige Endstation Grevel am Rande der gleichnamigen Ortschaften. Zwischen Kirchderne und Gleiwitzstraße wird die Eisenbahnstrecke nach Lünen unterquert, der Platz für einen optionalen Verknüpfungspunkt ist dort berücksichtigt. In Grevel entstand zunächst eine Wendeschleife, die später durch eine zweigleisige Stumpfendstelle mit Mittelbahnsteig ersetzt wurde. Als vollwertige Stadtbahnstrecke erhielt der Neubauabschnitt eine Streckensignalisierung.

_ Strecke I

Anfang der achtziger Jahre gingen in mehreren Abschnitten umfangreiche Tunnelanlagen im Zuge der Strecke I in Betrieb. Die Baumaßnahmen hatten sich dabei nicht auf die Innenstadt beschränkt, sondern bereits den kreuzungsfreien Ausbau der südlichen Außenstrecken nach Hörde und Hacheney mit eingeschlossen. Dadurch erklärt sich die sehr lange Zeit zwischen Baubeginn und ersten Eröffnungen von rund 15 Jahren. Spätere Projekte wurden aus dieser Erfahrung heraus in Dortmund in kürzere Teilabschnitte unterteilt und damit schneller nutzbar gemacht.
Das erste kurz vor den Anlagen in der Innenstadt fertig gestellte Teilstück war der 1983 eröffnete Tunnel im südlichen Vorort Hörde. In dessen Verlauf liegen die U-Bahnhöfe Hörde Bahnhof zur Verknüpfung mit den Eisenbahnstrecken nach Schwerte und Unna sowie Clarenberg als Endpunkt. Die Unterfahrung der Bahnstrecke mitsamt einem kurzen anschließenden Tunnelstück wurde über 290 m Länge bergmännisch mit zwei Tunnelröhren gebaut. Südlich Clarenberg baute man einen Anschlusstunnel für eine mögliche Weiterführung Richtung Süden gleich mit. Dieser Anschluss ist viergleisig, er umfasst bereits zwei außen liegende potenzielle Streckengleise sowie eine dazwischen liegende zweigleisige Wendeanlage. Am nördlichen Ausbauabschnitt wurde die Strecke zunächst über eine provisorische Rampe an das Straßenbahnnetz angeschlossen.

_ Route I

The central tunnel sections for route I opened in various stages during the early 1980s. In addition, the routes to Hacheney and Hörde were also built totally grade-separated. It was 15 years before the first sections could be used, and later projects thus considered faster completion of smaller segments, which would then be available for temporary tram operation immediately.
The first tunnel opened in 1983, shortly before the inner-city tunnels were ready, and was the stretch through Hörde with two underground stations. Hörde Bahnhof provides transfer to regional trains on the line to Schwerte and Unna, and Clarenberg is the present terminus. A 290 m long section with two separate tube tunnels under the mainline tracks was excavated below ground, with the rest built by cut-and-cover. South of Clarenberg there is a 4-track tunnel, with the outer tracks laid in provision for a future extension. The inner tracks would then remain for reversing. At the northern end of this section, the route was linked to the tram network via a temporary ramp.

(I) U41/U45/U47/U49 Stadthaus

The central tunnel system (8 km) opened in 1984. It was then used by three lines: U41 Clarenberg - Brambauer, U45 Hacheney - Mengede and U47 Aplerbeck - Hauptbahnhof. Most tunnels were built by cut-and-cover, although on two sections just north and south of Kampstraße special mining techniques had to be used to take the tunnel below buildings. At the northern end, ramps were built at Hafen and Lortzingstraße to create links to the existing tram routes to Westerfilde and Brambauer. At the southern end, a permanent tunnel portal was built south of Westfalenpark station, where the upgraded route to Hacheney was linked to the tunnel. A temporary metal ramp was erected where the present Märkische Straße station is to link the routes to Aplerbeck and Hörde, as well as the former depot Westfalendamm. From this ramp up to the completed tunnel section in Hörde, the trams remained on the old surface route until the delayed middle section had been completed.
Between Leopoldstraße in the north and Markgrafenstraße in the south all route I lines share the same tracks. The four intermediate stations provide transfer to other urban or mainline railway routes: at Hauptbahnhof to long distance and regional services, as well as S1, S2 and S5, at Kampstraße and Stadtgarten to other tram lines, then all still on the surface, and at Stadthaus to S-Bahn line S4, which as the successor of a once privately owned railway line does not serve the main railway station.

1984 stand als nächster Abschnitt der komplette Innenstadttunnel der Strecke I mitsamt den dazugehörigen Anschlussstrecken und damit über 8 km neue kreuzungsfreie Trassen zur Verfügung. Eingeführt wurden die drei Linien U41 Clarenberg – Brambauer, U45 Hacheney – Mengede und U47 Aplerbeck – Hauptbahnhof.
Die Tunnel wurden zu großen Teilen in offener Bauweise gebaut. Lediglich bei zwei kurzen Abschnitten nördlich und südlich Kampstraße kamen zwecks Unterfahrung von Gebäuden bergmännische Bautechniken zum Einsatz. Im Norden wurden zwei Rampen in Höhe Hafen sowie Lortzingstraße gebaut und damit Übergänge auf die zunächst unveränderten Straßenbahnstrecken nach Westerfilde bzw. Brambauer geschaffen. Im Süden entstand ein endgültiger Tunnelmund südlich des U-Bahnhofs Westfalenpark. Hier schließt die gleichzeitig stadtbahngerecht ausgebaute oberirdische Außenstrecken nach Hacheney an den Tunnel an. Dazu kam eine provisorische Stahlrampe in Höhe des heutigen U-Bahnhofs Märkische Straße mit Anschluss an die Strecken nach Aplerbeck und Hörde sowie zum ehemaligen Betriebshof Westfalendamm. Die Verbindung von dieser letztgenannten Rampe zum 1983 eröffneten Tunnel in Hörde verlief zunächst noch provisorisch über die alte Straßenbahnstrecke, da sich die Fertigstellung des dazwischen liegenden Tunnelstücks aufgrund von Einsprüchen im Planungsverfahren verzögert hatte.
Zwischen den beiden Verzweigungsbahnhöfen Leopoldstraße im Norden und Markgrafenstraße im Süden werden alle Linien der Strecke I über eine gemeinsame Stammstrecke geführt. Auf dieser liegen vier weitere U-Bahnhöfe, über welche Umsteigemöglichkeiten zu allen anderen Linien des städtischen und regionalen Schienennetzes bestehen: am Hauptbahnhof zum Nah- und Fernverkehr der Eisenbahn, an der Kampstraße und am Stadtgarten zur Straßenbahn, die damals auch am Stadtgarten noch oberirdisch verlief, sowie am Stadthaus zur S-Bahn-Linie S4, welche den Hauptbahnhof aus der Historie der verschiedenen ursprünglich privaten Eisenbahngesellschaften im Ruhrgebiet nicht bedient.
Gleichzeitig baute man am Stadtgarten und an der Kampstraße jeweils tief liegende Bahnsteigebenen für die Strecken II bzw. III als Vorleistung mit. Diese Umsteigebahnhöfe wurden so konzipiert, dass zwischen allen Bahnsteigen direkte Treppenverbindungen bestehen. Für die Anordnung der Strecke I jeweils in der oberen Ebene war deren offene Bauweise, aber auch das dort erwartete gegenüber den anderen Strecken deutlich größere Fahrgastaufkommen maßgebend. Bemerkenswert ist daneben die leistungsfähige Ausgestaltung der Verzweigungsbahnhöfe am nördlichen und südlichen Ende der Stammstrecke: Markgrafenstraße im Süden besitzt drei Gleise, einen Seitenbahnsteig stadtauswärts sowie einen Mittelbahnsteig stadteinwärts und erlaubt damit gleichzeitige Einfahrten von den zusammenlaufenden Außenstrecken. Leopoldstraße im Norden wurde sogar mit vier Bahnsteiggleisen versehen. Beide Verzweigungen sind kreuzungsfrei ausgeführt. Zwischen Hauptbahnhof und Leopoldstraße entstand außerdem eine lange, zweigleisige Abstellanlage zwischen den Streckengleisen. Nördlich bzw. südlich der Stammstrecke gingen im Zuge der angrenzenden Anschlussstrecken zusammen mit dem zentralen Tunnelabschnitt die U-Bahnhöfe Schützenstraße, Münsterstraße und Westfalenpark mit ans Netz.
Die vom Westfalenpark ausgehende Schnellstraßenbahnstrecke nach Hacheney wurde für den Stadtbahnbetrieb bis 1984 umgebaut. Im Mittelstreifen der B54 war die Trasse bereits kreuzungsfrei. Sie erhielt hier aber zusätzlich Betonleitwände und ist damit seitdem auch baulich völlig vom Straßenverkehr

At Stadtgarten and Kampstraße, a second station was built at a lower level together with the route I station to provide convenient transfer facilities in the future via direct flights of stairs and escalators between different lines. The fact that route I is on the upper level at both stations is partly due to the cut-and-cover construction method, but also to this route's higher number of expected passengers. The southern junction Markgrafenstraße was built with three tracks, one side and one island platform, thus allowing two trains to enter the station simultaneously from both branches. The northern junction at Leopoldstraße was even built with four tracks, both junctions being totally grade-separated. Between Hauptbahnhof and Leopoldstraße two long sidings were laid between the running tracks. Adjacent to the shared middle section, the underground stations Schützenstraße, Münsterstraße and Westfalenpark were opened at the same time.

(I) U49 Hacheney

The rapid tram route from Westfalenpark to Hacheney was upgraded for Stadtbahn operation in 1984. Along the middle strip of the B54 dual carriageway it had already been grade-separated, but now a concrete wall was erected on either side to totally separate it from road traffic. South of Rombergpark station, the diveunder for the tram had to be rebuilt to comply with Stadtbahn parameters. North of the Hacheney terminus, a bridge was built across a secondary road. The flat junction south of Westfalenpark for the branch to Stadion was also rebuilt. It used to be double-track and cross the southbound road lanes on a viaduct. Now it is grade-separated but only single-track.
Once the tunnels through the city centre and in Hörde had been completed, the missing section with the underground stations Märkische Straße, Karl-Liebknecht-Straße and Willem-van-Vloten-Straße followed in 1986. The route from the city centre to Clarenberg thus became totally grade-separated, and the route I tunnel system as we know it today was complete. At Märkische Straße, a grade-separated junction with a ramp for the branch to Aplerbeck was built together with a road tunnel that lies on top of the Stadtbahn tunnel. Like Markgrafenstraße, Märkische Straße has three tracks, a side and an island platform, the latter for the inbound direction. The temporary ramp at Märkische Straße was maintained to access the Westfalendamm depot. Karl-Liebknecht-Straße station was built by the cut-and cover method through an area previously occupied by allotment plots, which had to be cleared and re-established once construction had been completed. The station at Willem-van-Vloten-Straße, as well as most running tunnels, were

separiert. Südlich der Station Rombergpark musste eine Straßenbahnunterführung zur Verschwenkung der Gleistrasse auf die Westseite der Straße zur Herstellung der Stadtbahn-Trassierungsparameter durch ein neues Bauwerk ersetzt werden. Gleichzeitig entstand kurz vor der Endstation Hacheney eine neue Brücke über einen Wirtschaftsweg. Die Ausfädelung der Betriebsverbindung zum Stadion am Westfalenpark wurde ebenfalls umgebaut. Sie war vorher zweigleisig, kreuzte jedoch die Strecke nach Hacheney schienengleich und führte dann auf einer Rampe in einem engen Bogen über die westliche Fahrbahn der B54 hinweg. Die neue Ausfädelung ist vollständig kreuzungsfrei, dafür aber nur noch eingleisig.
Zwei Jahre nach Vollendung der beiden Tunnel in der Innenstadt und in Hörde konnte 1986 dann auch das noch fehlende dazwischen liegende Stück mit den U-Bahnhöfen Märkische Straße, Karl-Liebknecht-Straße und Willem-van-Vloten-Straße vollendet werden. Damit war die Relation Zentrum – Hörde – Clarenberg komplett kreuzungsfrei und das Tunnelsystem der Achse I in seiner heutigen Form fertig gestellt. In Höhe Märkische Straße wurde dabei gleichzeitig ein unterirdischer kreuzungsfreier Abzweig mit daran angegliederter Rampe für die Strecke nach Aplerbeck sowie ein über dem Stadtbahntunnel liegender Straßentunnel gebaut. Als Verzweigungsbahnhof ist der U-Bahnhof Märkische Straße betrieblich analog zu Markgrafenstraße dreigleisig mit einem Mittel- und einem Seitenbahnsteig ausgestattet. Die provisorische Stahlrampe an der Märkischen Straße blieb zur Anbindung des Betriebshofs Westfalendamm zunächst noch bestehen. Im Zuge des südlich anschließenden Tunnelstückes wurde der U-Bahnhof Karl-Liebknecht-Straße offen gebaut, eine von der Trasse in diesem Bereich durchquerte Kleingartensiedlung musste vor Baubeginn entfernt und später wieder neu errichtet werden. Dagegen entstanden der U-Bahnhof Willem-van-Vloten-Straße trotz geringer Tiefenlage sowie weite Teile der Streckentunnel bergmännisch. Zwischen dem südlichen Ende des neuen Tunnelabschnitts und dem bestehenden in Hörde kommt die Stadtbahn kurz ans Tageslicht, verläuft dort jedoch ebenfalls vollständig kreuzungsfrei.
Zusammen mit den Tunnelbaumaßnahmen wurde an der Oberfläche der Abschnitt zwischen der nördlichen Tunnelrampe Lortzingstraße und Fredenbaum im Zuge der Strecke nach Brambauer provisorisch für den Einsatz von Stadtbahnwagen hergerichtet. Um die über diesen Abschnitt angeschlossene alte Hauptwerkstatt Immermannstraße erreichen zu können, sah man damals von einem ursprünglich geplanten Weiterbau des Tunnels bis Fredenbaum ab.
Da Dortmund seine ersten Stadtbahnwagen B erst im Jahre 1986 erhielt, erfolgte die Betriebsaufnahme der Tunnelstrecke I komplett im Straßenbahnvorlaufbetrieb mit N-Wagen. Ein Einsatz der älteren Dortmunder Straßenbahnzüge im Tunnel war wiederum nicht möglich, so dass die N-Wagen zu einer Übergangsfahrzeuggeneration zwischen Straßenbahn- und Stadtbahnbetrieb avancierten. Die U-Bahnhöfe hatten nach den Stadtbahnrichtlinien rund 110 m lange Bahnsteige erhalten. Ursprünglich für A-Wagen-Dreifachtraktionen konzipiert, reichte dies für B-Wagen-Vierfachtraktionen aus. Da zunächst aber nur Doppeltraktionen zum Einsatz kamen, konnte man die Bahnsteige im Tunnel in hohe und niedrige Abschnitte für den geplanten Stadtbahnbetrieb sowie den Vorlaufbetrieb mit N-Wagen unterteilen. Die ausgebauten Strecken an der Oberfläche in Richtung Fredenbaum und Hacheney verfügten zunächst nur über Niedrigbahnsteige. Nach Auslieferung der ersten Serie B-Wagen konnte Anfang 1987 die erste echte Stadtbahnlinie, die auf den Abschnitt Clarenberg – Fredenbaum verkürzte Linie U41, eingerichtet werden. Im Gegenzug wurde die U47 von Aplerbeck über

excavated below ground despite their low depth. Between this new tunnel section and the existing tunnel through Hörde, the route runs on the surface for a short stretch, but this section is also totally grade-separated.
Together with tunnel construction, the existing tram route from the northern ramp at Lortzingstraße up to Fredenbaum was upgraded so as to be operable with Stadtbahn vehicles. To keep the former maintenance depot at Immermannstraße accessible the tunnel had not been extended up to Fredenbaum.
As no Stadtbahn B-cars had been delivered to Dortmund by 1986, the first tunnel routes were operated exclusively with class N tram cars. Older tram vehicles were not adapted for tunnel operation. The underground stations had been built with 110 m long platforms; these had originally been designed for a triple class A trainset, but were now long enough for a quadruple B-car trainset. As only double-units were initially used, the platforms were able to be divided into high-floor (for B-cars) and low-floor (for N-cars) sections. The stops on the upgraded surface sections to Fredenbaum and Hacheney initially only had low-floor platforms.
Once delivery of the first batch of B-cars had been completed in 1987, the first real Stadtbahn line, U41, was established between Clarenberg and Fredenbaum. At the same time, line U47 from Aplerbeck to Hauptbahnhof was extended to Brambauer. Up until 1999, mixed operation with Stadtbahn B-cars and N-cars continued along route I. Once all surface routes had been upgraded for Stadtbahn operation, the N-cars were withdrawn.
In 1989, line U45, which had operated between Hacheney and Mengede, was curtailed at Westerfilde because the northern stretch was needed for S-Bahn line S2, which began operating in 1991.
In 1990, the link to the stadium, which had only been used during special events, became a full part of the network. It serves the station at Remydamm, where a large park & ride facility, easily accessible from the B1 and B54, is located. Though ready for Stadtbahn vehicles, the branch was initially only operated with N-cars. The former line U45 was split into two lines, U45 (Stadion - Westerfilde) and U49 (Hacheney - Westerfilde).
The following project was to upgrade the remaining section of what had once been an interurban tramway from Huckarde to Westerfilde, once the Mengede section had become part of S2. The surface route starts at the ramp west of Schützenstraße station. At Hafen, a new station with reversing tracks was opened in 1991, and U41 was subsequently extended here. Although there is a level crossing just east of Hafen station, this station is considered a

(l) U47 Obernette

den Hauptbahnhof hinaus nach Brambauer durchgezogen. Bis 1999 herrschte daraufhin im Stammstreckentunnel der Strecke I Mischbetrieb mit Stadtbahnwagen B und N-Wagen. Dieser Mischbetrieb wurde sukzessive beendet, indem die anderen Oberflächenstrecken nach und nach für den Einsatz des Stadtbahnwagens umgebaut wurden.
Die Linie U45 wurde 1989 auf die Relation Hacheney – Westerfilde verkürzt, da die anschließende nach Mengede weiterführende Trasse für den Neubau der S-Bahn-Linie S2 benötigt wurde. Die S-Bahn konnte 1991 in Betrieb gehen. 1990 bezog man die vormals nur im Veranstaltungsverkehr und für Betriebsfahrten genutzte Querspange zwischen der Hacheneyer Strecke und dem Stadion voll in das Liniennetz ein. Damit konnte eine regelmäßige Bedienung der P+R-Großanlage Remydamm erreicht werden. Diese Anlage liegt verkehrstechnisch außerordentlich günstig direkt an den von Westen, Osten und Süden kommenden Bundesstraßen B1 und B54. Technisch wurde die Strecke für Stadtbahnwagen-Doppeltraktionen ertüchtigt, zum Einsatz kamen aber auch hier zunächst N-Wagen. Aus dem Angebot der alten Linie U45 entstanden die beiden neuen Linien U45 Stadion – Westerfilde und U49 Hacheney – Westerfilde.
Die folgenden Baumaßnahmen erstreckten sich auf den stadtbahngerechten Ausbau des nach dem Bau der S-Bahn-Linie S2 verbliebenen Restes der früheren 1200-V-Überlandbahn im nordwestlichen Stadtgebiet über Huckarde nach Westerfilde. Ausgangspunkt der Arbeiten war die Rampe westlich des U-Bahnhofs Schützenstraße. Bereits 1991 stand im Anschluss an diese Tunnelrampe eine neue oberirdische Haltestelle Hafen mit Kehrgleisanlage zur Verfügung. Daraufhin konnte die Linie U41 hierhin umgelegt werden. Obwohl an der Haltestelle Hafen noch eine niveaugleiche Kreuzung zwischen Stadtbahn und Straßenverkehr besteht, wird diese zum voll ausgebauten Stadtbahnnetz gezählt. Das Liniennetz wurde neu geordnet und umfasste nun die Linien U41 Clarenberg – Hafen, U45 Stadion – Brambauer, U47 Aplerbeck – Westerfilde und U49 Hacheney – Fredenbaum. Mit der U49 war gleichzeitig eine zweite Linie für den Einsatz von B-Wagen vorhanden. Hier konnten lange Zeit aber auch noch N-Wagen fahren, bis schließlich Ende der neunziger Jahre Hochbahnsteige an den Bahnhöfen Rombergpark und Hacheney entstanden.
Bis 1992 wurde dann die Streckenführung zwischen Hafen und Huckarde Bushof stadtbahngerecht in veränderter Linienführung neu trassiert. Die alte Strecke bog westlich der Tunnelrampe nach Norden ab und führte im Zuge der engen Franziusstraße sehr kurvenreich und teilweise eingleisig zusammen mit dem Straßenverkehr unter Eisenbahnanlagen her. Bekannt war dieser sehenswerte, aber betrieblich untragbare Abschnitt unter der Bezeichnung Fleischerhaken. Mit der Eröffnung der neuen OW IIIa-Brücke über Bahnanlagen und Emscher konnte die alte Streckenführung aufgegeben werden. OW IIIa steht dabei für einen ebenfalls über die Brücke führenden neuen Ost-West-Schnellstraßenzug. Die neue Stadtbahnstrecke führt im Anschluss an die Haltestelle Hafen geradeaus auf einen kreuzungsfreien Bahnkörper in Mittellage der Brücke weiter. Dabei ist das Brückenbauwerk in einen 364 m langen Abschnitt über den Güterbahnhof Dortmund-Nord und einen weiteren 170 m langen Abschnitt über die Emscher und die Huckarder Straße aufgeteilt. Auf der Westseite der Brücke taucht die Stadtbahn dann in einen kurzen Tunnel zwecks Ausfädelung aus der Schnellstraße ab. In diesem Tunnel liegt eine unterirdische schienengleiche Verzweigung. Geradeaus schließt neben der Straße eine Verbindungsstrecke zum Stadtbahn-Betriebshof Dorstfeld an. Dieser konnte 1993 rechtzeitig für die ersten

full Stadtbahn station. The network was then restructured and included lines U41 (Clarenberg - Hafen), U45 (Stadion - Brambauer), U47 (Aplerbeck - Westerfilde) and U49 (Hacheney - Fredenbaum). Line U49 became the second line fit for Stadtbahn vehicles, although the use of N-cars was still possible until the late 1990s, when high platforms were finally built at Rombergpark and Hacheney.
By 1992, the route between Hafen and Huckarde Bushof had been upgraded on a new alignment. The original route had turned north after leaving the tunnel. Partly single-track it had made its way amidst cars along the winding Franziusstraße and under the railway tracks. This picturesque route, known as the 'butcher's hook', was abandoned once a new bridge across the railway tracks and the River Emscher had been built together with a major motorway access road. The Stadtbahn route now continues straight on from Hafen on a grade-separated right-of-way in the middle strip of that dual carriageway. The bridge has two different sections, a 364 m long stretch across the Dortmund-Nord freight station, and a 170 m long stretch across the River Emscher and Huckarder Straße. At the western end of the bridge, the Stadtbahn burrows under the westbound road lanes. Inside this tunnel there is a flat junction for the access line to the Dorstfeld depot, which opened in 1993 in time for the first overhaul of Stadtbahn cars. Since 1996, this has been the Stadtbahn's only depot and workshop, with the facilities at Westfalendamm having been closed and the temporary ramp at Märkische Straße dismantled. The Stadtbahn leaves the short tunnel in a tight curve with a 50 m radius to continue on a temporary route to Huckarde Abzweig, where it joins the previously existing alignment towards Westerfilde. In the long run a tunnel through Huckarde is planned, a short tunnel stub having already been built inside the tunnel for that purpose.
The route from Huckarde Abzweig to Westerfilde runs mostly on a separate right-of-way and has been fit for Stadtbahn operation since autumn 1993, when U41 was also extended to Westerfilde for a short period. N-cars remained in use on U47, but only during off-peak hours. At Huckarde, a stop between Parsevalstraße and Buschstraße was eliminated. The terminus at Westerfilde was rebuilt with a 90 m long platform, and an overall roof next to the S-Bahn station opened in 1991. Intermediate stops have 60 m long platforms, which have gradually been raised for high-floor vehicles, the most recent having been completed at Obernette in 2005. The only stop with low platforms that remains on this stretch is Huckarde Abzweig, which will be rebuilt in the mid-term future together with an adjacent

(l) U47 Hauptfriedhof

anstehenden Hauptuntersuchungen der Stadtbahnwagen provisorisch nutzbar gemacht und dann 1996 als alleiniger Stadtbahnbetriebshof vollständig eingeweiht werden, womit der Betriebshof Westfalendamm und mit ihm die provisorische Stahlrampe an der Märkischen Straße entfiel. Weiter in Richtung Norden wurde zunächst eine provisorische Verbindung bis zur Altstrecke in Höhe Huckarde Abzweig geschaffen, die über einen engen 50 m-Bogen wieder an die Oberfläche führt und anschließend auf besonderem Bahnkörper neben der Huckarder Straße verläuft. Langfristig ist zwischen der westlichen Brückenrampe und Huckarde eine durchgehende Tunnelstrecke über Huckarde Markt angedacht. Die dafür notwendigen Anschlussstutzen wurden im Ausfädelungstunnel bereits mitgebaut.
Der weitgehend abseits von Straßen liegende nördliche Abschnitt zwischen Huckarde Abzweig und Westerfilde ist seit Herbst 1993 von Stadtbahnwagen befahrbar. Anschließend wurde die U41 kurzzeitig über die Gesamtstrecke durchgezogen, die U47 erreichte Westerfilde mit N-Wagen fortan nur noch in den Schwachlastzeiten. In Huckarde fiel dabei zwischen Parsevalstraße und Buschstraße eine Haltestelle weg. Westerfilde erhielt eine voll überdachte zweigleisige Stumpfendstelle neben dem 1991 eröffneten S-Bahnhof.
An den Haltestellen, außer Huckarde Abzweig, entstanden sukzessive Hochbahnsteige, zuletzt 2005 in Obernette. Während die Bahnsteige an den Zwischenstationen in der Länge 60 m messen, wurde Westerfilde im Stadtbahn-Vollausbau mit 90 m-Bahnsteigen versehen. Bis heute nur provisorisch ausgebaut sind zwei kurze eingleisige Abschnitte nördlich Huckarde Abzweig inklusive dieser Haltestelle zur Unterfahrung der DB-Emschertalbahn (Gleisverschlingung) sowie zwischen Buschstraße und Obernette, wo schienengleich die DB-Güterumfahrungsstrecke gekreuzt wird. Beide Engstellen sollen mittelfristig zweigleisig und kreuzungsfrei ausgebaut werden.
Seit 1994 wird auch die Linie U47 ausschließlich mit Stadtbahnwagen bedient. Sie konnte damit anstelle der U41 wieder nach Westerfilde durchgezogen werden. Dafür wurde als vorletzter Außenast der Strecke I jener nach Aplerbeck stadtbahntauglich gemacht, allerdings bis heute noch mit einigen Provisorien. Die Außenstrecke nach Aplerbeck zeichnet sich durch zwei sehr unterschiedliche Abschnitte aus: Zwischen Kohlgartenstraße und Hauptfriedhof liegen die Gleise schnellbahnähnlich, aber nicht vollständig kreuzungsfrei auf besonderem Bahnkörper im Mittelstreifen der B1. Östlich vom Hauptfriedhof wird die B1 dann niveaugleich gekreuzt. Anschließend wendet sich die Strecke nach Süden, um in Seitenlage der Marsbruchstraße eingleisig bis Aplerbeck zu führen. Auf dem Abschnitt im Zuge der B1 wurden die Gleismittenabstände bereits 1993 für den Einsatz von Stadtbahnwagen vergrößert. Die Bahnsteige verblieben dort aber noch auf niedriger Höhe. Bis 1996 folgte der sukzessive Ausbau zwischen Hauptfriedhof und Aplerbeck. Zur Beschleunigung erhielt die Stadtbahn eine Bevorrechtigung an den Lichtsignalanlagen. Gleichzeitig wurden die vorher sehr eng beieinander liegenden Haltestellen neu geordnet, dabei um eine reduziert und mit Ausnahme von Vahleweg mit 60 m langen Hochbahnsteigen versehen. In Aplerbeck entstand eine zweigleisige Stumpfendstelle mit kurzen Übergangswegen zu weiterführenden Bussen. Die Stadtbahntrasse verblieb allerdings weiterhin eingleisig. Zugbegegnungen sind an der Zwischenstation Schürbankstraße möglich.
Seit 1998 fährt die U45 im Regelverkehr nicht mehr zum Stadion, sondern in den als Teil der Strecke II gebauten neuen U-Bahnhof Westfalenhallen. Damit war die Notwendigkeit zum Einsatz von Stadtbahnwagen gegeben, weshalb die Linie

section with interlaced tracks beneath the Emschertal railway line. Between Buschstraße and Obernette there is a single-track section, with a grade crossing between the Stadtbahn and the DB freight bypass line. This section is also planned to be rebuilt in the future.
Since 1994, line U47 has been operated exclusively with Stadtbahn cars, and has since replaced U41 on the Westerfilde line. Prior to that, the section to Aplerbeck had to be upgraded for Stadtbahn operation. This branch has two quite different sections. Between Kohlgartenstraße and Hauptfriedhof, the tracks lie on a separate right-of-way along the middle strip of the B1 dual carriageway; there are a few level crossings. East of Hauptfriedhof, the Stadtbahn crosses the B1 at grade before turning south to Aplerbeck on a single-track route alongside Marsbruchstraße. On the section along the B1 the gap between the tracks was widened in 1993, but no high platforms were built then. By 1996, the Hauptfriedhof - Aplerbeck section had been upgraded and the Stadtbahn was given priority at traffic lights. One stop was eliminated and the rest more evenly spread out. Except for Vahleweg, all stops now have 60 m long platforms.
At Aplerbeck, a 2-track terminus with an island platform provides easy interchange with feeder buses. The Stadtbahn route, however, remained single-track, with a passing loop at Schürbankstraße.
In 1998, U45 stopped running to Stadion, and was instead diverted into the underground station at Westfalenhallen built for route II. As this station was built for the sole use of Stadtbahn vehicles, line U45 had been split into two sections in 1997; the northern part from Brambauer to Stadthaus was operated with N-cars, and the southern part from Hauptbahnhof to Westfalenhallen with B-cars.
Once the route from Fredenbaum to Brambauer had been upgraded in two stages in 1999 and 2002, all branches on route I were eventually fit for Stadtbahn operation. Upgrading this route had initially been considered unviable due to the on-street section along the narrow Evinger Straße, and therefore only the stretch up to Fredenbaum had been rebuilt in 1986. From Fredenbaum to Grävingholz a tunnel solution was envisaged in the long run. Expected passenger numbers, however, would hardly have justified these expenses. On the other hand, the northernmost section between Brechten and Brambauer had been deleted from the Stadtbahn project and was therefore in danger of being closed down. Eventually, the decision was taken to maintain and upgrade the entire surface route. The section between Fredenbaum and Grävingholz remains embedded in the roadway, and the following section to Brechten was double-tracked alongside the road while service was kept up on the old track. Once this section had been completed in 1999,

(I) U41 Wittichstraße

bereits 1997 in zwei provisorische Teillinien zerlegt worden war. Der Nordabschnitt nach Brambauer wurde zunächst noch mit N-Wagen weiterbetrieben und endete am Stadthaus, der Südteil mit B-Wagen am Hauptbahnhof.
Mit dem Umbau der Strecke von Fredenbaum nach Brambauer konnte in zwei Schritten 1999 und 2002 schließlich der Einsatz von Stadtbahnwagen auf allen Außenstrecken der Strecke I ermöglicht werden. Zu Beginn des Stadtbahnbaus hielt man den Umbau dieser Strecke für einen Stadtbahn-Vorlaufbetrieb wegen der straßenbündigen Trasse in der engen Evinger Straße noch für undurchführbar, weshalb 1986 in Anschluss an die Tunnelrampe Lortzingstraße nur das kurze Stück bis zur Haltestelle Fredenbaum ertüchtigt wurde. Von dort aus sollte langfristig ein zusätzlicher Tunnel bis Grävingholz gebaut werden. Dieser war aber auf absehbare Zeit nicht finanzierbar und erschien mit Blick auf die Fahrgastbedeutung der Strecke überdimensioniert. Auf der anderen Seite wurde der äußere Abschnitt zwischen Brechten und Brambauer zwischenzeitlich aus der Stadtbahnrahmenplanung herausgenommen und war damit akut stilllegungsgefährdet. Letztendlich entschloss man sich zu einem durchgehenden Ausbau der Gesamtstrecke an der Oberfläche. Dafür wurde die Strecke nördlich Fredenbaum vollständig erneuert. 1999 waren die Arbeiten auf dem weiterhin im Straßenpflaster liegenden Abschnitt von Fredenbaum bis Grävingholz weitgehend abgeschlossen. Das ursprünglich eingleisige Streckenstück von Grävingholz nach Brechten wurde anschließend unter rollendem Rad zweigleisig auf besonderem Bahnkörper in Seitenlage ausgebaut. Gleichzeitig legte man 1999 die Außenstrecke von Brechten nach Brambauer zwecks vollständiger Neukonstruktion vorübergehend still. Diese konnte schließlich 2002 wiedereröffnet werden, womit der Ausbau der Strecke abgeschlossen war. Zwischen Brechten und Brambauer fuhr die Straßenbahn ursprünglich eingleisig im Gegenverkehr der Landstraße. Die neue Gleisführung verläuft abschnittsweise zweigleisig im Straßenraum und eingleisig neben der Straße. Zusammen mit dem Bau der neuen Gleisanlagen erhielten die Haltestellen als ansprechender Blickfang gestaltete 60 m lange Hochbahnsteige, wobei jene entlang der straßenbündigen Strecke mit rot geklinkerten Kanten und gewellter Überdachung versehen wurden.
Mit der Fertigstellung des ersten Teilstücks nach Grävingholz und der gleichzeitigen Ermöglichung des provisorischen Stadtbahnwageneinsatzes weiter bis Brechten endete 1999 der Einsatz von N-Wagen auf der Strecke I. Auf den Stadtbahnlinien sind seitdem ausschließlich B-Wagen unterwegs. Daraufhin wurden die Linienführungen auf der Strecke I wieder neu geordnet und der Zustand der zweigeteilten U45 beseitigt: Die U41 fuhr nun zwischen Clarenberg und Hauptbahnhof, die U45 zwischen Westfalenhallen und Hafen, die U47 unverändert zwischen Aplerbeck und Westerfilde und die U49 zwischen Hacheney und Brechten.
Mit dem Ende des Mischbetriebs konnten bis 2003 im Tunnel sukzessive alle Bahnsteige in den Endausbauzustand gebracht werden. Die ursprünglich abschnittsweise verschieden hohen Bahnsteige in den U-Bahnhöfen wurden vollständig für einen stufenfreien Einstieg in die Stadtbahnwagen erhöht. Bauvorleistungen erlaubten meist eine hydraulische Anhebung unter Weiterverwendung der Bahnsteigplatten. An einigen U-Bahnhöfen hatte diese Erhöhung schon vorher schrittweise begonnen, so dass nach einer ersten Anpassung nur noch kurze Tiefbahnsteige verblieben waren und diese dann später ebenfalls erhöht wurden. Auch an den zu Zeiten des Mischbetriebs zunächst meist erst mit niedrigen Bahnsteigen versehenen Außenstrecken entstanden mit dem fortlaufenden Einsatz von Stadtbahnwagen bis heute

(I) U45 Fredenbaum (1999) RS

the segment between Brechten and Brambauer was closed and totally rebuilt. It reopened in 2002, partly double-track embedded in the roadway and partly single-track alongside the road. The stops along the northern route were built with attractive 60 m long high-level platforms, and those along the street-running section with red-brick sides and a curved roof.
With the route to Brechten having been made fit for Stadtbahn vehicles, the use of N-cars on route I was discontinued in 1999. Ever since, only B-cars have been used on all Stadtbahn lines. Once again, the lines on route I were rearranged and the temporarily split U45 merged into one line. Line U41 now served Clarenberg - Hauptbahnhof, U45 Westfalenhallen - Hafen, U47 remained unchanged between Aplerbeck and Westerfilde, and U49 now ran between Hacheney and Brechten. By 2003, all low sections in tunnel stations had been raised to provide stepless access into the Stadtbahn vehicles. In most stations this could be done hydraulically as the necessary provisions had been made when the stations had been built. Most surface stops on route I had also gradually been rebuilt with high platforms, the only ones missing in 2006 being at Huckarde Abzweig, at Vahleweg, and those from Kohlgartenstraße to Stadtkrone Ost. Between the latter and Vahleweg, a new station opened at Hauptfriedhof in 2003. It was built to full metro standard together with a new road junction. The 80 m long island platform is accessible via stairs and a lift and lies in the middle strip of the B1, adjacent to a large park & ride facility. Originally, the route to Aplerbeck was planned to be diverted east of Stadtkrone Ost on a new route to serve the area of Schüren, but the location of this new station rules out this option.
In late 2005, the lines on route I were rearranged again to adapt them to the headways operated during evening hours. After almost 20 years U41 has returned to its historic route from Brambauer to Clarenberg.

(I) U41 Güterstraße

an fast allen Haltestellen im Zuge der Linien der Strecke I Hochbahnsteige. Anfang 2006 fehlten solche nur noch an der Haltestelle Huckarde Abzweig sowie im Zuge der Aplerbecker Strecke zwischen Kohlgartenstraße und Vahleweg. Als erste Haltestelle in diesem Bereich konnte 2003 als Einzelmaßnahme zusammen mit dem Bau einer kreuzenden Straßenunterführung die neu gestaltete Haltestelle Hauptfriedhof im Stadtbahn-Vollausbau in Betrieb genommen werden. Sie liegt nun kreuzungsfrei im Mittelstreifen der Bundesstraße B1. Angegliedert ist eine große P+R-Anlage. Der auffällig gestaltete Mittelbahnsteig ist 80 m lang und über Treppen und einen Aufzug erreichbar. Ursprünglich war geplant, die Strecke nach Aplerbeck ab der Haltestelle Stadtkrone Ost auf eine neue Trasse weiter südlich zur besseren Anbindung von Schüren zu verschwenken, mit der neuen Haltestelle wurde diese Planung endgültig verworfen.
Ende 2005 wurden die Linienführungen aufgrund von Taktänderungen im Spätverkehr erneut verändert. Seitdem bedient die U41 nach fast zwanzig Jahren wieder die traditionelle durchgehende Nord-Süd-Achse Clarenberg – Brambauer.

(II) U42 Barop Parkhaus > Eierkampstraße CG

_ Strecke II

Direkt nach dem Abschluss der Arbeiten an den zentralen und südlichen Abschnitten der Strecke I begann am 16.04.1985 der Bau des Innenstadttunnels für die Strecke II. Dieser wurde abgesehen vom Bereich der nördlichen Tunnelrampe mitsamt dem U-Bahnhof Brunnenstraße weitgehend bergmännisch gebaut.
Das erste Teilstück des Tunnels ging 1992 zwischen der Rampe Glückaufstraße und Stadtgarten in Betrieb. Im Gegensatz zum ersten Tunnel mit seiner sehr langen Bauzeit hatte man damit zunächst nur den nördlichen Teil der zweiten Stammstrecke geschaffen, um diese möglichst früh zumindest teilweise nutzen zu können. Der neue Tunnel umfasste die U-Bahnhöfe Brunnenstraße, Brügmannplatz, Reinoldikirche und Stadtgarten. Nördlich und südlich des Bahnhofs Brunnenstraße wurden Abstellgleise gebaut. Sollte die S-Bahn eines Tages über den Hauptbahnhof hinaus entlang der Hauptstrecken nach Hamm oder Lünen verlängert werden, so kann am Brügmannplatz ein Umsteigepunkt eingerichtet werden. Der U-Bahnhof Reinoldikirche als späterer Kreuzungspunkt mit der Strecke III wurde als Vorleistung komplett mit zwei Bahnsteigebenen und direkten Verbindungstreppen zwischen allen Bahnsteigen fertig gestellt. Die bislang noch unbenutzte Ebene der Strecke III liegt oben, die der Strecke II unten. Ebenso baute man für die Strecke III bereits den Streckentunnel zwischen Reinoldikirche und Kampstraße sowie einen eingleisigen unterirdischen Verbindungstunnel zwischen

(II) U42 Eierkampstraße CG

_ Route II

Just after the tunnels for route I had been completed, the construction of the underground sections for route II began on 16 April 1985. Except for a short stretch in the area of Brunnenstraße station, route II was mostly excavated below ground.
The first tunnel section opened in 1992 between the ramp at Glückaufstraße and Stadtgarten. With the long construction time that had been needed for route I in mind, this time the northern segment was completed first, and opened as soon as possible with underground stations at Brunnenstraße, Brügmannplatz, Reinoldikirche and Stadtgarten. There are sidings both north and south of Brunnenstraße station. In preparation for a possible extension of the S-Bahn from Hauptbahnhof one day, an interchange station is planned at Brügmannplatz. At Reinoldikirche, the part of the station for the future route III (upper level) was built to completion together with route II (lower level). The tunnel for route III between Reinoldikirche and Kampstraße, as well as a single-track service link from Kampstraße to Brügmannplatz, were also completed at the same time.
At Stadtgarten, the lower level had already been built together with route I. This station had three tracks, a side and an island platform from the start in provision for two southern branches. Unlike on route I, where platforms were built 110 m long, those on route II are only 90 m, long enough for triple Stadtbahn trainsets. The first four underground stations on route II were still laid out with low platform sections, but these were only used for special services during Christmas 1992. Before the first tunnel section had been completed in 1992, the grade-separated rapid tram route to Grevel, as well as the intermediate section between Glückaufstraße and Franz-Zimmer-Siedlung, had to be upgraded for Stadtbahn operation and 60 m long high platforms built. In this way, the new Stadtbahn line U42 was able to be operated with B-cars from the start, although it was only linked to the rest of the network via a temporary track on the surface. The southern section of the former tram line 402 from Grevel to Hombruch remained linked to the tram network.
In 1995, route II was extended from Stadtgarten to Städtische Kliniken, the first station to be built exclusively with high platforms.
The next step was the construction of the branch from Stadtgarten to Westfalenhallen, with intermediate stations at Saarlandstraße and Polizeipräsidium. The terminus Westfalenhallen, as well as the adjacent tunnel section, were excavated by cut-and-cover. This branch opened as far as Polizeipräsidium in 1996, and Westfalenhallen in 1998.

Brügmannplatz und Kampstraße im Rohbau mit. Am Stadtgarten konnte die zusammen mit der Strecke I als Vorleistung gebaute untere Ebene in Betrieb genommen werden. Diese besitzt als späterer Verzweigungspunkt drei Gleise mit einem Mittel- und einem Seitenbahnsteig. Im Gegensatz zum ersten Innenstadttunnel beträgt die Bahnsteiglänge der U-Bahnhöfe bei der Strecke II nicht mehr 110, sondern 90 m, ist also statt für Vier- nun für Dreiwagenzüge ausgelegt. Die vier U-Bahnhöfe der ersten Baustufe der Strecke II erhielten dabei zur Ermöglichung eines provisorischen N-Wagen-Einsatzes auch noch kurze niedrige Bahnsteigteile, welche aber letztendlich nur im Weihnachtsverkehr 1992 benutzt und danach nicht mehr benötigt wurden.
Vor Fertigstellung des ersten Tunnelstücks wurden 1992 die kreuzungsfreie Schnellstraßenbahnstrecke nach Grevel sowie das dazwischen liegende Verbindungsstück von Glückaufstraße bis Franz-Zimmer-Siedlung stadtbahngerecht umgebaut und sukzessive mit 60 m langen Hochbahnsteigen versehen. Damit konnte die neue Stadtbahnlinie U42 von Grevel bis in die Innenstadt mit Stadtbahnwagen B in Betrieb gehen. Zur Gleisverbindung mit dem restlichen Netz musste zunächst noch eine provisorische oberirdische Betriebsverbindung von der Tunnelrampe ausgehend aufrechterhalten werden. Der südliche Abschnitt der vorhergehenden Linie 402 Grevel – Hombruch wurde zunächst weiterhin provisorisch ins Straßenbahnnetz integriert.
1995 wurde die U42 vom Stadtgarten um eine Station unterirdisch bis zum U-Bahnhof Städtische Kliniken verlängert. Städtische Kliniken war dabei der erste U-Bahnhof, der von vorneherein ausschließlich mit Hochbahnsteigen versehen wurde.
Als nächster Schritt erfolgte der Tunnelbau für den Abzweig von Stadtgarten bis zu den Westfalenhallen. Auf dieser komplett unterirdischen Strecke kamen die U-Bahnhöfe Saarlandstraße, Polizeipräsidium und Westfalenhallen hinzu. Der U-Bahnhof Westfalenhallen sowie das nördlich anschließende Tunnelstück entstanden in offener Bauweise. Die Eröffnung konnte 1996 bis Polizeipräsidium und 1998 dann durchgehend bis Westfalenhallen gefeiert werden. Letzterer U-Bahnhof ersetzte die älteste unterirdisch angelegte Haltestelle Dortmunds an gleicher Stelle. Die von der Hohen Straße kommende Straßenbahnstrecke verschwand ursprünglich mitsamt der Straße in einem Tunnel, der unter dem Ruhrschnellweg und dem anschließenden Vorfeld der Westfalenhalle hindurchführte. In letzterem Bereich befand sich die recht düstere Haltestelle, stützenfrei mit breiten Seitenbahnsteigen. Die großzügige Ausdehnung der Haltestelle zwischen den Tunnelröhren der Straße ermöglichte den Neubau des heutigen Bahnhofs ohne Eingriff in das Straßenbauwerk. Unmittelbar südlich davon führt die Strecke oberirdisch per Rampe über das Niveau der parallelen Straße, um dann mit der bestehenden Stadtbahnstrecke vom Westfalenpark zum Stadion verknüpft zu werden. Auch diese Verknüpfung entstand aus einer Altanlage in ähnlicher Form. Ein höhengleiches Gleisdreieck erlaubt heute sowohl durchgehende Sonderverkehre von den Strecken I und II zum Stadion als auch Fahrten zwischen Westfalenhallen und Remydamm. Damit waren die Strecken I und II direkt miteinander verbunden, die provisorische oberirdische Betriebsverbindung der Greveler Strecke konnte entfallen. Im Gleisdreieck sind die beiden Schenkel zum Stadion zweigleisig, die Verbindungskurve Westfalenhallen – Remydamm jedoch nur eingleisig ausgeführt. Neben der Rampe wurde Platz für eine mögliche Streckenverlängerung von den Westfalenhallen nach Löttringhausen weitgehend über die heutige DB-Strecke nach Herdecke und Hagen freigehalten.

(II) U42 Hombruch Hallenbad > Harkortstraße

The new terminus replaced Dortmund's oldest underground station. The former tram route along Hohe Straße lay inside a road tunnel which passed under the Ruhrschnellweg and the square in front of the exhibition centre. The dark subsurface stop had wide side platforms with no supporting pillars. This spacious layout allowed for the reconstruction of the station in its present form without affecting the parallel road. To the south of the new station, route II is linked via a ramp to the route I branch from Westfalenpark to the stadium. Once the two Stadtbahn routes had been physically connected here, the temporary track link on the Grevel route was able to be dismantled. The triangular junction is double-track between Remydamm and Stadion, and Westfalenhallen and Stadion, but the side between Remydamm and Westfalenhallen is only single-track. Next to the ramp, there is enough space for a possible extension from Westfalenhallen towards Löttringhausen over the existing DB tracks on the line to Herdecke and Hagen. The opening of this route II branch brought some line alterations. Line U42 was cut back to Städtische Kliniken - Brunnenstraße, and line U46 was created to serve Grevel - Polizeipräsidium, from 1998 Grevel - Westfalenhallen. At the same time, line U45 was extended over the single-track link to terminate at Westfalenhallen. Lines U45 and U46 have been operated jointly ever since, whereas the branch to the stadium is now served during special events only.
In 2002, the southwestern line to Hombruch was connected to route II. Line U42 returned to its historic route between Grevel and Hombruch, whereas line U46 was curtailed at Brunnenstraße. The Hombruch branch includes two new underground stations, Möllerbrücke, with interchange to S-Bahn line S4, and Kreuzstraße. Trains emerge from the tunnel just north of the Theodor-Fliedner-Heim stop to continue on the former interurban route to Hombruch. The surface section, which had already been running mostly on a separate right-of-way, was upgraded with high island platforms. There are two short sections running on-street, near Am Beilstück and south of Harkortstraße, where the original route along Deutsch-Luxemburger Straße was re-aligned alongside the road on the southern section. At Barop Parkhaus, only a temporary single-track route was available until 2005, when the route was diverted into a cutting to dive under the busy Stockumer Straße. Barop Parkhaus station has full metro-standard and is located right under this road. Here transfer is provided to several bus lines, as it will be in the future to S-Bahn line S5 (Dortmund - Witten) too.

Mit der Eröffnung der abzweigenden Tunnelstrecke wurde die Linie U42 auf den innerstädtischen Abschnitt Brunnenstraße – Städtische Kliniken gekürzt und eine neue Linie U46 zwischen Grevel und Polizeipräsidium bzw. Westfalenhallen eingeführt. Gleichzeitig wurde die von der Strecke I kommende Linie U45 über die eingleisige Verbindungskurve nach dessen Fertigstellung ebenfalls in den U-Bahnhof Westfalenhallen geführt. Damit können die beiden Linien U45 und U46 hier seitdem ohne Fahrtrichtungswechsel direkt ineinander übergehen. Das Stadion wird nun nur noch im Veranstaltungsverkehr bedient.
2002 konnte schließlich auch die südwestliche Außenstrecke nach Hombruch an die Strecke II angeschlossen werden. Seitdem fährt die U42 wieder auf der traditionellen Achse zwischen Grevel und Hombruch. Die U46 wurde auf den Abschnitt Brunnenstraße – Westfalenhallen gekürzt. Ausgehend vom U-Bahnhof Städtische Kliniken kamen zwei weitere U-Bahnhöfe Möllerbrücke und Kreuzstraße hinzu. Möllerbrücke bietet direkte Übergänge zur S-Bahn-Linie S4. Unmittelbar nördlich der Haltestelle Theodor-Fliedner-Heim erreicht die Strecke die Oberfläche und geht auf die weitgehend auf eigenem Bahnkörper liegende ehemalige Überlandstraßenbahn nach Hombruch über. Die oberirdischen Haltestellen erhielten Mittelhochbahnsteige. Zwei kurze Abschnitte um die Haltestelle Am Beilstück sowie zwischen Harkortstraße und Hombruch Hallenbad liegen weiterhin im Straßenpflaster. Der südliche Abschnitt in der Deutsch-Luxemburger Straße wurde in Straßenseitenlage verlegt. Im Bereich Barop Parkhaus wurde zunächst noch eine eingleisige provisorische Gleisführung befahren. 2005 konnte man dann auch diesen Abschnitt und damit den vollständigen stadtbahngerechten Ausbau der Strecke II vollenden. Die Trasse wurde dabei im Kreuzungsbereich mit der stark befahrenen Stockumer Straße in einen aus Bohrpfahlwänden hergestellten Trog verlegt. In der Unterführung liegt die nach Stadtbahnvollausbau-Kriterien gebaute Haltestelle Barop Parkhaus. Hier besteht Anschluss zu wichtigen Buslinien, geplant ist außerdem auch ein S-Bahnhof an

_ Strecke III

Seit Ende der neunziger Jahre ist der Stadtbahntunnel III zum Ersatz der oberirdischen Ost-West-Strecke im Bau, mit dem das Stadtbahn-Grundnetz in der Innenstadt fertig gestellt sein wird. Die beiden 2005 rohbaufertigen eingleisigen Streckentunnel entstanden in bergmännischer Bauweise. Begünstigt durch den sehr standfesten Untergrund aus Mergel konnten über weite Abschnitte sehr geringe Tiefenlagen verwirklicht werden.
Der rund 2,3 km lange Tunnel III beginnt an der Rampe Heinrichstraße im Westen. Nach Bedienung der U-Bahnhöfe Unionstraße, Westentor, Kampstraße, Reinoldikirche und Ostentor erreicht die Strecke an der Rampe Lippestraße im Osten wieder das Tageslicht. Die Länge des Tunnels wurde so gewählt, dass die Innenstadt und die am meisten belasteten querenden Straßen zukünftig unterfahren werden können. Zwischen Unionstraße und Westentor liegt ein aus östlicher Richtung anfahrbares Abstellgleis. Die zusammen mit den ersten beiden Tunneln als Vorleistung gebauten U-Bahnhöfe Kampstraße und Reinoldikirche dienen der Verknüpfung mit den Strecken I und II. An der Kampstraße liegt der Tunnel III in der unteren, an der Reinoldikirche dagegen in der oberen Ebene. Die anderen Zwischenbahnhöfe liegen in anderthalbfacher Tiefenlage, die Zwischengeschosse befinden sich damit direkt über der Bahnsteigebene.
Nachträglich in das Ost-West-Projekt mit aufgenommen wurde ein rund 700 m langer unterirdischer Anschluss der Linie 404 zur Westfalenhütte. Diese Linie sollte ursprünglich

(II) U42 Möllerbrücke - S-Bahn 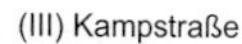

_ Route III

The third cross-city tunnel has been under construction since the late 1990s to replace the surface east-west tram route. The single-track tunnel shells had largely been completed by 2005. They were excavated below ground at relatively low depth, which was possible due to favourable ground conditions in marly soil.
The approximately 2.3 km tunnel has a western ramp at Heinrichstraße and an eastern ramp at Lippestraße, with underground stations at Unionstraße, Westentor, Kampstraße, Reinoldikirche and Ostentor. The tunnel extends across the entire inner city and avoids major road junctions. Between Unionstraße and Westentor there is a centre siding accessible from the eastern side. The underground stations at Kampstraße and Reinoldikirche had already been built together with the first two tunnel routes, and will provide convenient interchange between different routes. At Kampstraße, the route III station lies on the lower level, and at Reinoldikirche, on the upper. The other stations have a mezzanine between street and platform levels.
The underground branch to connect the existing tram line 404 to Westfalenhütte with the new tunnel was a late addition to the project. This line was initially planned to be abandoned once the east-west tunnel had been completed. After consideration of a connection with route II, it will ultimately be linked to route III. The double-track branch diverges from the east-west tunnel at the eastern side of Reinoldikirche station, burrowing under the westbound track to surface just before the existing Geschwister-Scholl-Straße stop. The original plans included the conversion of

(III) Kampstraße

nach Eröffnung des Ost-West-Tunnels stillgelegt werden. Zwischenzeitlich entschloss man sich dann aber doch für einen Erhalt der Strecke und eine Einbindung in das Tunnelsystem. Geprüft wurden anschließend mögliche Verbindungstunnel sowohl zur Strecke II als auch zur Strecke III. Letztendlich wurde eine Anbindung an den Tunnel III beschlossen. Der zweigleisige Anschlusstunnel fädelt östlich des U-Bahnhofs Reinoldikirche zwischen den beiden Streckengleisen aus der Ost-West-Strecke aus, unterfährt deren nördliches Gleis sowie angrenzende Bebauung und mündet in eine Rampe südlich der bestehenden Haltestelle Geschwister-Scholl-Straße.
Der ursprünglich angedachte Einsatz von Hochflurwagen auf der Strecke III wurde wegen der weitgehend im Straßenpflaster liegenden Außenstrecken inzwischen verworfen. Damit wird in Dortmund auch nach der Vollendung des Ost-West-Tunnels die bestehende Systemtrennung zwischen Stadtbahn mit hohen und Straßenbahn mit niedrigen Bahnsteigen langfristig Bestand haben. Alle Haltestellen der Strecke III sollen vergleichbar zur Niederflurstadtbahn Köln mittelfristig 35 cm hohe Bahnsteige erhalten. Heute verfügen nur etwa ein Drittel der Stationen überhaupt über Bahnsteige, ansonsten muss bislang von der Straße aus eingestiegen werden. Zunächst sollen der Planung nach etwa ein weiteres Drittel der Haltestellen mit Podesten im Bereich der vorderen Fahrzeugtüren versehen werden. Auf der anderen Seite muss im U-Bahnhof Reinoldikirche ein bereits vorhandener Hochbahnsteig mit Eingriff in die Bauwerksstatik verkürzt werden, da der bestehende Niedrigbahnsteig nur für Einzelwagen ausgelegt worden war.
Die Inbetriebnahme des Ost-West-Tunnels inklusive der unterirdischen Verzweigung ist im Frühjahr 2008 vorgesehen. Dann können die bestehenden Straßenbahnlinien 403 und 404 in ihrer Linienführung unverändert als U43 und U44 in den Untergrund verlegt werden. Mit der Vollendung des Tunnels wird die zuletzt im Jahre 1992 fortgeschriebene strategische Betriebsplanung des Dortmunder Stadtbahnnetzes weitgehend umgesetzt sein. Am 7.11.2003 wurde daher beschlossen, das Betriebskonzept für die zukünftige Weiterentwicklung des Netzes mittelfristig neu aufzustellen.

_ Ausblick

Im Gegensatz zu den anderen Städten des Ruhrgebiets verfolgt Dortmund nach wie vor eine Vielzahl von Projekten im Stadtbahnnetz, von denen einige gute Chancen auf eine mittelfristige Realisierung haben.
In der Umsetzung oder fortgeschrittenen Planung befinden sich punktuelle Maßnahmen zum weiteren Ausbau der bestehenden Strecken. Das Schwergewicht liegt dabei auf der Linie U47 zwischen Westerfilde und Aplerbeck. Hier ist geplant, die beiden niveaugleichen Kreuzungen mit der Gütereisenbahnstrecke bei Obernette sowie mit der B1 östlich vom Hauptfriedhof kreuzungsfrei auszubauen. Außerdem sollen möglichst bald die wenigen noch fehlenden Hochbahnsteige ergänzt werden. Hier besteht allerdings eine Kopplung mit einem ebenfalls angestrebten Ausbau der B1 in Tieflage.
Da der U-Bahnhof Hauptbahnhof zunehmend überlastet ist, soll er großzügig erweitert werden. Diese Maßnahme steht im Zusammenhang mit dem Umbau des Dortmunder Hauptbahnhofs, über dessen Gleisanlagen ein Einkaufszentrum gebaut werden soll. Der heutige U-Bahnhof ist knochenförmig mit zwei Aufweitungen im Bereich der Zugänge an den Enden der beiden Seitenbahnsteige und schmaleren Bahnsteigbereichen dazwischen. In einer ersten Bauphase sollen die Bahnsteige in voller Länge auf die Breite der Zugangsbereiche gebracht und weitere Rolltreppen in Bahnsteigmitte nachgerüstet wer-

(III) Westentor > Unionstraße

route III to Stadtbahn operation with high-floor vehicles, but due to long sections of on-street running this option was eventually discarded, so that in the future there will be a separate high-floor Stadtbahn network and a low-floor tram network. All surface stops will gradually be equipped with 35 cm high platforms, similar to the low-floor Stadtbahn in Cologne. At present, only about one third of all surface stops on route III have platforms, with boarding from street level at all other stops. In a first phase, about half of these stops without platforms will be equipped with a short pedestal to allow stepfree access at the front door of the vehicle. At the same time, the low-floor platform at Reinoldikirche, now only long enough for a single tram unit, will have to be lengthened, which may affect the entire structure of the station. The east-west tunnel is expected to open in spring 2008. The current tram lines 403 and 404 will become lines U43 and U44, without any drastic changes to their routes. The opening of this tunnel will mark the completion of the Stadtbahn project as approved in 1992. On 7 November 2003, a future operational concept was decided upon, which includes possible extensions to the network.

(III) Reinoldikirche > Ostentor (Abzweig | *Junction*)

_ *Outlook*

Unlike other cities in the Ruhr District, Dortmund still maintains several projects for Stadtbahn expansion, some of which have a good chance of being realised in the mid-term future.
The upgrading of existing routes to full Stadtbahn standard is underway or in an advanced planning stage, with emphasis being put on line U47 between Westerfilde and Aplerbeck. On this line, the level crossing at Obernette

den. Gleichzeitig werden die Voraussetzungen geschaffen, an den Außenseiten zwei weitere Gleise anzulegen. Im Bereich der verbreiterten Bahnsteige wird der dazu notwendige Raum bereits miterstellt. In einer zweiten Bauphase kann damit ein viergleisiger Tunnelbahnhof mit zwei Mittelbahnsteigen geschaffen werden. Am nördlichen Kopf des U-Bahnhofs sollen dann die neuen äußeren Bahnsteiggleise an die Streckengleise, die vorhandenen inneren Bahnsteiggleise dagegen an die ebenfalls bereits vorhandene Abstellanlage angeschlossen werden. Damit könnten durchgehende und endende Linien voneinander getrennt werden, was besonders bei Großveranstaltungen mit langen Fahrgastwechselzeiten eine erhebliche Kapazitätserweiterung brächte. Für die erste Bauphase wurde am 15.07.2004 der Baubeschluss mit einem angestrebten Baubeginn nach der Fußball-WM im Sommer 2006 verabschiedet.
Neben diesen Ausbaumaßnahmen gibt es Planungen zum Bau von Neubaustrecken, um das Stadtbahnnetz in bisher nicht erreichte Stadtgebiete auszudehnen. Zu nennen sind folgende Vorhaben:
- Verlängerung der U41 von Clarenberg nach Benninghofen, an den Tunnel anschließend oberirdisch auf besonderem Bahnkörper
- Verlängerung der U42 von Grevel nach Lanstrop, optional weiter nach Bergkamen
- Abzweig von der Linie 403 von Körne Am Zehnthof über Schüren nach Aplerbeck, weitgehend über eine vorhandene, nicht mehr genutzte Eisenbahntrasse
- Verlängerung bzw. Wiederaufbau der Linie 404 durch das Gelände der Westfalenhütte hindurch bis zum Eisenbahn-Haltepunkt Kirchderne
- Verlängerung der U46 von Westfalenhallen nach Löttringhausen, über weite Abschnitte Nutzung der Eisenbahnstrecke über Herdecke nach Hagen
- Abzweig von der U47 ab Huckarde Abzweig über Jungferntal nach Kirchlinde, abschnittsweise kreuzungsfrei neben Eisenbahnanlagen der DB AG, auf besonderem Bahnkörper mit Kreuzungen im Zuge einer dafür bereits ausgelegten Straße sowie durch einen kurzen Tunnel
- Verlängerung der U47 von Aplerbeck über Bahnhof Aplerbeck bis zum Bahnhof Aplerbeck-Süd
- Verlängerung der U49 von Hacheney nach Wellinghofen, komplett kreuzungsfrei mit einem Tunnel unter dem Zentrum von Wellinghofen und einer oberirdischen Endhaltestelle
- Abzweig von der U49 südlich Westfalenpark über das Entwicklungsgelände Phoenix-West und den Bahnhof Hörde nach Berghofen, dabei in Hörde Führung parallel zu den DB-Gleisen

Der Planungs- bzw. Diskussionsstand zu den einzelnen Projekten ist sehr unterschiedlich. Planerisch am weitesten fortgeschritten sind die Neubaustrecken nach Kirchlinde und Wellinghofen. Dabei stellt die Strecke nach Kirchlinde den ersten Teil der alten Stadtbahnplanung in Richtung Castrop-Rauxel dar.

(I) U49 Hacheney

between the Stadtbahn and a DB freight line, as well as the one across the B1 dual carriageway east of Hauptfriedhof, will be eliminated. All stops will be equipped with high platforms, although this project is linked to another scheme that includes an underground section for road B1.

(I) U47 Voßkuhle

As the underground station at Hauptbahnhof has reached the limits of its capacity, it has to be expanded. This will be done jointly with the construction of a large shopping mall over the mainline tracks. The present underground station has widened areas at each end, but quite narrow platforms in the middle section. In a first stage, platforms will be widened along their entire length, and additional escalators built in the middle of the station. At the same time, preliminary work will be carried out for additional tracks parallel to the existing ones. In a second stage, Hauptbahnhof will become a 4-track underground station with two island platforms. In this way, continuing and terminating lines are able to be separated, crucial during special events when large passenger numbers require longer stopping times. On 15 July 2004 the first stage was approved, with construction starting in summer 2006 after the FIFA World Cup.
Besides these projects to upgrade existing sections, there are several plans for network expansion:
- *Extension of line U41 from Clarenberg to Benninghofen (on the surface on a separate right-of-way);*
- *Extension of line U42 from Grevel to Lanstrop, with an option to be extended to Bergkamen;*
- *A branch off line 403 from Körne Am Zehnthof to Schüren and Aplerbeck, mostly along a disused railway line;*
- *Reconstruction and extension of line 404 across the steelmaking factory Westfalenhütte to the railway station at Kirchderne;*
- *Extension of line U46 from Westfalenhallen to Löttringhausen by sharing the railway line to Hagen;*
- *A branch off line U47 from Huckarde Abzweig to Kirchlinde via Jungferntal, partly grade-separated parallel to the existing DB route, partly on a separate right-of-way and partly in a short tunnel;*
- *Extension of line U47 from Aplerbeck to Aplerbeck-Süd via Aplerbeck railway station;*
- *Extension of line U49 from Hacheney to Wellinghofen, totally grade-separated with a tunnel under Wellinghofen and a surface terminus;*
- *A branch off line U49 across the Phoenix redevelopment area, and to Berghofen via Hörde Bahnhof.*

All these projects are in different stages of planning; the most advanced are those to Wellinghofen and Kirchlinde, the latter being part of the original planned route to Castrop-Rauxel.

DORTMUND

_ Fahrzeuge

Zur Eröffnung des ersten Innenstadttunnels verfügte Dortmund über insgesamt 54 N-Wagen der Baujahre 1978-82 sowie ältere GT8-Straßenbahnwagen. Von den N-Wagen sind derzeit noch 49 Stück vorhanden. Die GT8 wurden nicht für den Tunnelbetrieb hergerichtet und verblieben auf den Straßenbahnlinien.
Bei den N-Wagen handelt es sich um die Normalspurvariante der im mittleren Ruhrgebiet anzutreffenden meterspurigen M-Wagen. Die Dortmunder Fahrzeuge sind sämtlich achtachsig und können in Doppeltraktion verkehren. Ein Halt an Hochbahnsteigen ist nicht möglich. Der Einsatz der N-Wagen im Vorlaufbetrieb auf Stadtbahnlinien währte bis 1999. Nach der Erhöhung aller Bahnsteige in den Innenstadttunneln fahren die Wagen heute ausschließlich auf den oberirdischen Straßenbahnlinien 403 und 404. Dort setzten sie wiederum die GT8 frei, welche bis 2001 vollständig ausgemustert werden konnten. Einige dieser Wagen wurden ins rumänische Resita weitervermittelt.

Auf den Stadtbahnlinien fahren seit 1999 ausschließlich Stadtbahnwagen B. Zwischen 1986 und 1994 lieferte die DUEWAG zunächst 54 sechsachsige B80C. Davon wurden elf nachträglich um ein Mittelteil zu Achtachsern erweitert. Ziel war mit Blick auf die Fahrgastnachfrage einiger Linien die Schaffung einer Platzkapazität zwischen Einzel- und Doppeltraktion. Nachdem sich diese Zwischengröße bewährte, erreichten zehn weitere Züge Dortmund dann 1998 direkt ab Werk als Achtachser. Damit stehen von den B80C heute 43 Sechsachser und 21 Achtachser in Betrieb, die auch als B6 bzw. B8 bezeichnet werden.
Mit der Eröffnung weiterer Stadtbahnstrecken und zunehmendem Fahrgastaufkommen reichte der Fahrzeugpark Anfang des Jahrtausends nicht mehr aus. Daraufhin wollte man zunächst weitere B-Wagen bestellen. Da aber die Fahrzeugbauindustrie nach Auslaufen der B-Wagen-Serienproduktion keine preislich akzeptablen Nachlieferungen mehr anbieten konnte, wurde nach anderen Wegen gesucht. Fündig wurde man in Bonn, wo B-Wagen der ersten Generation nach der Auslieferung neuer Hochflurfahrzeuge vom Typ K5000 freigesetzt worden waren. Die DSW konnten sich mit der Bonner

_ *Rolling Stock*

When the first inner-city tunnel opened in Dortmund, there were 54 N-cars, delivered between 1978 and 1982, as well as older GT8 tram cars. 49 of these N-cars are still in service today. The GT8-cars were not made fit for tunnel operation and remained on the surface tram lines.
The N-car is the standard-gauge (normal) variant of the metre-gauge M-car found in the central Ruhr District. The Dortmund cars are all 8-axle vehicles operable in pairs. They cannot stop at high platforms, and remained in service on Stadtbahn lines until 1999. Once all the low sections in the underground stations had been raised, these cars were transferred to the surface tram lines 403 and 404, replacing all older GT8-cars by 2001. Some of these were sold to Resita in Romania.
Since 1999, the Stadtbahn lines have been operated exclusively with B-cars. 54 6-axle B80C vehicles were delivered by DUEWAG between 1986 and 1994. 11 vehicles were later retrofitted with a centre section to convert them to 8-axle units, thus creating an intermediate size between single and double units. As this size proved successful, a further 10 cars were delivered as 8-axle vehicles in 1998. The present fleet consists of 43 6-axle and 21 8-axle cars, also referred to as the B6 and B8, respectively.

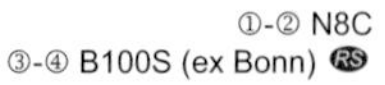

①-② N8C
③-④ B100S (ex Bonn) RS

SWB einigen, 2003/04 insgesamt 13 Wagen gebraucht zu übernehmen. Die Fahrzeuge stammen aus dem Jahr 1974, sind also deutlich älter als alle anderen derzeit in Betrieb stehenden Dortmunder Wagen. Um sie weiterhin einsetzen zu können, wurden sie in Eigenleistung umfassend modernisiert. Zwei Wagen dienten dabei als Ersatzteilspender.
Im Tagesbetrieb werden auf den Stadtbahnlinien entweder B6- bzw. B8-Solowagen oder aber B6-Doppeltraktionen eingesetzt. Längere Zugeinheiten sind auf weiten Teilen des Netzes möglich. Die voll ausgebauten Stadtbahnanlagen erlauben mindestens gut 80 m lange B6-Dreifachtraktionen, zwischen Hauptbahnhof und Westfalenstadion wird in Zukunft der Einsatz von B6-Vierfachtraktionen mit rund 110 m Länge möglich sein. B6-Doppeltraktionen kommen in Dortmund seit 1991 zum Einsatz, Dreifachtraktionen seit 1995. Ebenfalls bereits betrieblich praktiziert wurden gemischte Traktionen aus B6 und B8 sowie B8-Doppeltraktionen. Ein Kuriosum der Dortmunder B-Wagen, begründet aus dem Mischbetrieb mit den N-Wagen ist die Möglichkeit, in Mehrfachtraktionen die Klapptrittstufen der einzelnen Fahrzeuge separat anzusteuern. Damit können Zugverbände auch Haltestellen bedienen, an denen sie mit einem Zugteil an hohen, mit dem anderen Zugteil jedoch an niedrigen Bahnsteigen stehen. Dies wurde in der Vergangenheit insbesondere an einigen oberirdischen Haltestellen praktiziert, die zu Zeiten des Mischbetriebs zunächst nur kurze Hochbahnsteigteile erhielten.
Für den mittelfristigen Ersatz der N-Wagen auf der Strecke III wurden Ende 2005 47 Niederflurfahrzeuge bei Bombardier bestellt. Die neuen Wagen sollen 2007 bis 2010 ausgeliefert werden. Planungsziel ist langfristig auch auf der Ost-West-Achse der Einsatz von 2,65 m breiten Fahrzeugen. Da dies an der Oberfläche eine Vielzahl von Anpassungsmaßnahmen bedingt, wird die neue Wagengeneration jedoch 2,40 m breit.

With new extensions opening and increasing passenger numbers, the existing fleet had reached its capacity limit by the beginning of the new millennium. Meanwhile, no train manufacturer was able to offer B-cars at a reasonable price, so Dortmund began looking at other options. Older B-cars from 1974 were on offer in Bonn, where new Stadtbahn cars of class K5000 had been bought. In 2003/04, Dortmund's DSW acquired a total of 13 Bonn cars from SWB, which were refurbished at DSW's own facilities. Two cars were used to obtain spare parts.
In normal daytime service, either B6 and B8 single units or B6 double units are operated. Longer trainsets would be possible on most sections of the network. The full-standard Stadtbahn stations allow for 80 m long B6 triple units; and between Hauptbahnhof and the stadium the use of 110 m long quadruple B6 trainsets will be possible in the future. B6 double units have been in service since 1991, and triple units since 1995. Mixed trainsets made of B6 and B8 cars, as well as B8 double units, have also been tested. A special feature of the Dortmund B-cars is that in multiple traction the folding steps can be activated in each car separately; this was done in former times when some surface stations only had a short elevated section, while the low section was still necessary for the N-cars serving these routes.
To replace the fleet of N-cars used on route III, DSW ordered a total of 47 low-floor tram cars from Bombardier in 2005, to be delivered between 2007 and 2010. In the long run, the east-west route is also to be operated with 2.65 m wide cars, but this would require a new alignment on many surface sections. The new cars will therefore only be 2.40 m wide.

①-③ B80C
①③ RS

Wagenpark
Rolling Stock

Wagennummer *Car Number*	Anzahl *Quantity*	Typ *Class*	Baujahr *Year*	Hersteller *Manufacturer*	Bemerkungen *Notes*
101-120	20	N8C	1978	DUEWAG	101-103, 105, 106 x
121-143	23	N8C	1981	DUEWAG	
144-154	11	N8C	1982	DUEWAG	
301-310	10	B80C	1986	DUEWAG	x = ausgemustert
311-324	14	B80C	1990	DUEWAG	*x = out of service*
325-330	6	B80C	1992	DUEWAG	
331-343	13	B80C	1993	DUEWAG	
344	1	B80C	1993	DUEWAG	Achtachser (Umbau) | *extended to 8-axle*
345-354	10	B80C	1994	DUEWAG	Achtachser (Umbau) | *extended to 8-axle*
355-364	10	B80C	1998	DUEWAG	Achtachser (ab Werk) | *8-axle from the start*
401-411	11	B100S	1974	DUEWAG	2003/04 ex SWB (Bonn)

Die Strecke nach **Westerfilde** wurde 1923 als erste Schnellstraßenbahn Dortmunds eröffnet. Ursprünglich führte sie bis Mengede weiter. Die Trasse des 1989 stillgelegten hinteren Abschnitts wurde für den Bau der S-Bahn-Linie S2 benutzt. Kurios ist bis heute die schienengleiche Kreuzung mit Schranke der Stadtbahn mit einer elektrischen DB-Güterstrecke (Bild ③) bei **Obernette**. Zwischen **Huckarde Bushof** und Huckarde Abzweig befindet sich ein kurzer Abschnitt mit ineinander verschlungenen Gleisen zur Unterquerung der DB-Emschertalbahn (Bild ⑤).

①② Westerfilde
③ Obernette > Buschstraße
④ Buschstraße
⑤ Huckarde Abzweig > Huckarde Bushof

*In 1923, the route to **Westerfilde** became the first rapid tram line in Dortmund, originally continuing to Mengede. The outer section between Westerfilde and Mengede was closed down in 1989 to allow for the construction of S-Bahn line S2.*

*On the Westerfilde route, near **Obernette**, the Stadtbahn crosses an electrified DB freight line at grade (see ③). Between **Huckarde Bushof** and Huckarde Abzweig there is a short section with interlaced tracks to pass under the DB tracks of the Emschertalbahn (see ⑤).*

In **Huckarde Abzweig** fehlen bislang noch Hochbahnsteige. Das weitgehend kreuzungsfreie Streckenstück zwischen Huckarde Abzweig und **Hafen** mitsamt einer kurzen Tunnelstrecke entstand 1992 zum Ersatz des bekannten Engpasses ‚Fleischerhaken'.

*At **Huckarde Abzweig** high platforms have yet to be built. The mostly grade-separated route between Huckarde Abzweig and **Hafen**, including a short tunnel, was built in 1992 to replace the former bottleneck referred to as the 'butcher's hook'.*

① Huckarde Bushof
② Huckarde Abzweig
③ Insterburger Straße
④ Hafen > Insterburger Straße RS
⑤ Hafen RS

Östlich der Haltestelle **Hafen** gibt es einen Bahnübergang, anschließend wird die Stadtbahn in den Untergrund geführt. Nach Bedienung des U-Bahnhofs **Schützenstraße** fädelt die Westerfilder Strecke in die Stammstrecke I ein. Der Verzweigungsbahnhof **Leopoldstraße** konnte unter dem geräumten Gelände des ehemaligen Schlacht- und Viehhofs sowie eines Hochbunkers in einfacher Tiefenlage gebaut werden. Im Anschluss erfolgte eine Neubebauung an der Oberfläche. Der Bahnhof ist zweigeschossig, oben gibt es einen Mittelbahnsteig mit zwei Gleisen in Richtung Innenstadt (grün) und einen Seitenbahnsteig in Richtung Brambauer (gelb), unten einen weiteren Seitenbahnsteig in Richtung Westerfilde (orange). Dazu kommen zwei Abstellgleise auf der oberen Ebene zwischen den Bahnsteiggleisen.

*Just east of **Hafen** station there is a level crossing before the Stadtbahn enters the inner-city tunnel. After serving **Schützenstraße** station, the Westerfilde branch merges with the route from Brambauer at **Leopoldstraße**. This station was built without a mezzanine on the terrain of the former abbatoir and a surface air-raid shelter; the area was later built over. The station has two platform levels, the upper level having an island platform with two tracks for inbound trains (green), and a side platform for trains to Brambauer (yellow). On the lower level there is a side platform for trains towards Westerfilde (orange). On the upper level there are two sidings located between the two station parts.*

② Hafen (Bahnübergang | *level crossing*)
②③ Schützenstraße
④ Leopoldstraße (stadteinwärts | *inbound*)

①

②

Am U-Bahnhof **Leopoldstraße** gibt es kein Zwischengeschoss, Fahrgäste können die Bahnsteige direkt über eine Eingangshalle an der Oberfläche erreichen.
Zwischen Leopoldstraße und Hauptbahnhof ist der Stadtbahntunnel viergleisig, bestehend aus zwei außen liegenden Streckengleisen und zwei innen liegenden Abstellgleisen.
Der nur zweigleisige U-Bahnhof **Hauptbahnhof** entwickelt sich mehr und mehr zum Engpass. Geplant ist eine Bahnsteigverbreiterung und später ein viergleisiger Ausbau. Der U-Bahnhof liegt quer unter den Gleisen der Fernbahn, dazwischen gibt es eine großzügige Zwischenebene, die auch als Verbindung zwischen dem Stadtzentrum und den nördlich des Hauptbahnhofs gelegenen Stadtteilen dient.

①② Leopoldstraße
③-⑤ Hauptbahnhof

③

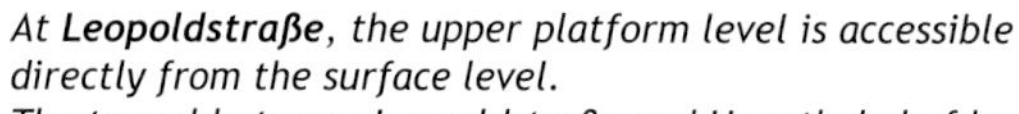

*At **Leopoldstraße**, the upper platform level is accessible directly from the surface level.*
The tunnel between Leopoldstraße and Hauptbahnhof has four tracks, the outer two for normal operation with the centre two used as sidings.

*The 2-track station at **Hauptbahnhof** is increasingly becoming a bottleneck, so platform widening and the laying of two additional tracks is planned. The station lies perpendicularly below the mainline station, with a large concourse on top linking the northern districts to the city centre.*

④

⑤

Die Überlandstrecke von Fredenbaum nach Brambauer wurde 1904 als erste Strecke der ehemaligen Landkreisbahn eröffnet. 1999 und 2002 wurde die Strecke in zwei Abschnitten für Stadtbahnwagen ertüchtigt. Der ursprünglich straßenbündige und weitgehend eingleisige hintere Abschnitt zwischen Grävingholz und Brambauer verläuft nun von **Grävingholz** bis **Brechten** zweigleisig auf besonderem Bahnkörper in Seitenlage sowie von Brechten bis **Brambauer** eingleisig neben oder zweigleisig auf der Straße.
In der Evinger Straße auf dem Abschnitt Fredenbaum – Grävingholz konnte wegen zu geringer Straßenbreite kein besonderer Bahnkörper hergestellt werden.

① Brambauer Verkehrshof (RS)
② Brambauer Krankenhaus
③ Oetringhauser Straße
④ Brechten Zentrum (RS)
⑤ Amtsstraße

*In 1904, the interurban tram route from Fredenbaum to Brambauer became the first to be opened by the 'Dortmunder Landkreisbahn'. The route was upgraded to Stadtbahn standard in two stages between 1999 and 2002. The northern section from **Grävingholz** to **Brechten** was realigned alongside the road and doubled, whereas the section from Brechten to **Brambauer** is either single-track alongside the road or double-track in the middle of the road. Between Fredenbaum and Grävingholz, the narrow Evinger Straße did not allow the construction of a separate right-of-way.*

①

②

Bemerkenswert sind die hohen Mittelbahnsteige von **Güterstraße** bis Grävingholz. Kantenverblendung und Bahnsteigbelag bestehen aus zwei Sorten roter Pflasterklinker. Alle Bahnsteige besitzen farblich dazu passende Serviceblöcke und ein als Gegensatzpaar zum Sockel herausgestelltes geschwungenes Dach aus Stahlprofilen. Für die hervorragende stadträumliche Gestaltung zeichnen sich die Architekten Susanne Schamp und Richard Schmalöer aus Dortmund verantwortlich.
An der Haltestelle **Lortzingstraße** wird die Oberflächenstrecke kurvenreich in den Untergrund geführt. Der folgende U-Bahnhof **Münsterstraße** besitzt Tunnelanschlussstutzen für eine mögliche Verlängerung in Richtung Fredenbaum. Südlich Münsterstraße fädelt die U41 in den Innenstadttunnel ein.

③

*The island platforms between **Güterstraße** and Grävingholz are made of pleasant red bricks. The design, created by the Dortmund architects Susanne Schamp and Richard Schmalöer, is complemented by an earth-coloured wall containing passenger information, and a curved metal roof.*
*From **Lortzingstraße**, the surface route winds its way to the tunnel portal north of **Münsterstraße** station. A short tunnel stub was built here to allow for a future extension of the tunnel towards Fredenbaum. At Leopoldstraße, U41 merges with U47 to share the underground route through the city centre.*

④

① Güterstraße CG
② Fredenbaum RS
③ Lortzingstraße
④ Münsterstraße

Der U-Bahnhof **Kampstraße** ist ein zentraler Knotenpunkt in der Innenstadt mit Übergang zur Straßenbahn. Eine untenliegende Ebene für die zukünftige unterirdische Strecke III wurde zusammen mit der Strecke I gebaut und geht voraussichtlich 2008 ans Netz.
Am Turmbahnhof **Stadtgarten** besteht Anschluss zu den Stadtbahnlinien U42 und U46 der Strecke II. Direkte Treppenverbindungen zwischen allen Bahnsteigen ermöglichen komfortables Umsteigen. Die Station der Strecke I liegt in einfacher Tiefenlage und ist direkt vom runden Eingangspavillon ohne Zwischengeschoss erreichbar. Stadtgarten beherbergt auch die Leitstelle des Stadtbahnnetzes.

*At **Kampstraße**, interchange with the surface tram route is provided. For the future east-west underground route (route III), a complete station shell was built together with the route I station at a deeper level; it is scheduled to open in 2008.*
*At **Stadtgarten**, where both stations lie perpendicularly to each other, transfer to route II (U42 and U46) is provided. Route I is on the upper level, accessible directly from the surface pavilion, and route II on the lower, both being linked by one flight of stairs.*
The control centre for the entire Stadtbahn system is located at Stadtgarten.

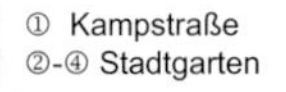
① Kampstraße
②-④ Stadtgarten

Am U-Bahnhof **Stadthaus** besteht eine Umsteigemöglichkeit zur S-Bahn-Linie S4. Wie die anderen Bahnhöfe der ersten Innenstadtstrecke wurde auch dieser rechteckig in offener Bauweise erstellt, was die Strecke I deutlich von der vorwiegend bergmännisch gebauten Strecke II mit ihren Röhrenbahnhöfen unterscheidet. An der **Markgrafenstraße** verzweigen sich die beiden Linienpaare U41/U47 sowie U45/U49 in einer dreigleisigen Anlage mit je einem Mittel- und einem Seitenbahnsteig.

*At **Stadthaus**, transfer is provided to S-Bahn line S4. Like all other stations on the first inner-city tunnel route, the station has a box shape, a result of the cut-and-cover construction method applied on this route, in comparison to the tube-type stations seen at most stations on route II.*
*The underground station **Markgrafenstraße** is the junction for U41/U47 and U45/U49. It was therefore equipped with three tracks, an island and a side platform.*

① Stadthaus
②-④ Markgrafenstraße
④ RS

①

②

③

Die Haltestelle **Westfalenpark** der 1959 eröffneten Schnellstraßenbahnstrecke nach Hacheney und zum Stadion lag ursprünglich oberirdisch in Schnellstraßenmittellage. Zum Anschluss an den Innenstadttunnel wurde die Station 1984 als unterirdischer U-Bahnhof neu in Betrieb genommen. Unmittelbar südlich davon erreicht die Stadtbahn die Oberfläche. Eine dort anschließende kreuzungsfreie eingleisige Ausfädelung in Mittellage führt die Linie U45 nach Westen aus der Strecke der Linie U49 heraus und über die parallele B54 hinweg. Am Westfalenpark fehlt gegenüber den anderen Verzweigungsbahnhöfen ein drittes Bahnsteiggleis, da der Anschluss der Linie U45 zu den Westfalenhallen und zum Stadion eigentlich nur für Sonder- und Betriebsfahrten geplant war.

①③ Westfalenpark
② Westfalenpark > Remydamm (RS)
④ Remydamm
⑤ Westfalenhallen > Remydamm

*The original stop at **Westfalenpark**, which opened in 1959 on the rapid tram line to Hacheney, lay on the surface in the middle strip of the dual carriageway. It was rebuilt underground in 1984, when the surface line was linked to the cross-city tunnel. The tunnel mouth is located at the southern end of the platforms. A single-track ramp located between the tracks to Hacheney takes line U45 across the southbound B54 road lanes and towards Remydamm. As this branch had only been planned for use in special events, Westfalenpark station was only built with two tracks.*

④

⑤

Die Querspange der Linie U45 zwischen Westfalenpark und Westfalenhallen umfasst die zweigleisige Zwischenstation **Remydamm** mit großer Bedeutung für den P+R-Verkehr. Am östlichen Bahnsteigende befindet sich ein Fußgängerübergang. Ein Gleisdreieck erlaubt westlich davon Fahrten in den U-Bahnhof Westfalenhallen sowie zum Stadion. Die Regelfahrten der U45 schildern an der Station **Westfalenhallen** (Messegelände) zur U46 um (siehe Seite 105) und verkehren über die Strecke II ohne Fahrtrichtungswechsel wieder in Richtung Innenstadt und umgekehrt. Das **Stadion** wird dagegen nur im Veranstaltungsverkehr bedient. 2006 wurde die Stadionhaltestelle anlässlich der Fußball-WM mit leistungsfähigeren Zugangsanlagen ausgestattet.

*The connection between Westfalenpark and Westfalenhallen includes the intermediate double-track stop at **Remydamm**, which lies adjacent to a large park & ride facility. At the eastern end of this station there is a pedestrian crossing.*
*The triangular junction to the west of Remydamm allows trains to run to the stadium or to Westfalenhallen. During normal service, U45 trains arriving at **Westfalenhallen** (exhibition centre) continue on line U46 (see page 105) towards the city centre, and viceversa. The **Stadion** stop, however, is only served during special events. In preparation for the FIFA World Cup in 2006, the accesses to the Stadion terminus have been improved.*

① Westfalenhallen
②-④ Stadion

Zwischen Westfalenpark und Rombergpark verläuft die U49 kreuzungsfrei in Mittellage der B54. Die Station **Rombergpark** hat einen Mittelbahnsteig und eine Fußgängerunterführung am Nordkopf. Südlich davon schließt eine kurze Stadtbahnunterführung an, welche die U49 aus der B54 ausfädelt. Die Endstation **Hacheney** besitzt zwei Stumpfgleise mit einem Mittelbahnsteig, der am Kopfende direkten Übergang zu einer Buswendeschleife bietet. Bedeutung bezieht die Endhaltestelle aus umliegenden Schulen sowie zur Verknüpfung mit in Richtung Süden weiterfahrenden Zubringerbuslinien. Hacheney erhielt im Zuge des 1984 abgeschlossenen Umbaus der Strecke für den komplett kreuzungsfreien Stadtbahnbetrieb einen Hochbahnsteig, die Gleise waren zunächst hochgeschottert.

① Westfalenpark > Rombergpark
②③ Rombergpark
④⑤ Hacheney

*Between Westfalenpark and Rombergpark, line U49 runs grade-separated along the middle strip of the B54 dual carriageway. **Rombergpark** station has an island platform accessible from a pedestrian tunnel located at the northern side. Just south of the station the Stadtbahn burrows under the southbound road lanes. The terminus **Hacheney** has an island platform, with a bus stop located directly at its southern end. The high platform was built in 1984, when the entire branch was made grade-separated. Over several years the tracks were raised with extra ballast.*

Nach der Eröffnung des Innenstadttunnels 1984 führten die Linien nach Clarenberg und Aplerbeck zunächst östlich Markgrafenstraße über eine provisorische Rampe an die Oberfläche. Das anschließende Tunnelstück bis zum bereits 1983 in Betrieb gegangenen unterirdischen Abschnitt in Hörde ging wegen Planungsverzögerungen erst 1986 ans Netz.
Der unter einem Straßentunnel liegende U-Bahnhof **Märkische Straße** ist als Verzweigungspunkt der Linien U41 und U47 dreigleisig. Von den zwei Zugängen besitzt einer ein Zugangsgebäude in Straßenmittellage. Die U41 bedient anschließend den U-Bahnhof **Karl-Liebknecht-Straße** mit Mittelbahnsteig und einem angegliederten, zwischen den Streckengleisen liegenden Abstellgleis. Gegenüber der innerstädtischen Stammstrecke mit 110 m langen Bahnsteigen beträgt die Bahnsteiglänge hier nur noch 95 m.

①-③ Märkische Straße
④⑤ Karl-Liebknecht-Straße

*In 1984, the inner-city tunnel terminated at a temporary ramp east of Markgrafenstraße. The following section was only completed in 1986. It included the underground station **Märkische Straße**, again built with three tracks as a junction for the diverging U47. There is a vestibule at each end, one with a surface pavilion located in the middle strip of the road. The next station is **Karl-Liebknecht-Straße**, which has an island platform, and a centre siding at its southern end. This platform is only 95 m long, as opposed to the 110 m of the inner-city tunnel section.*

Der U-Bahnhof **Willem-van-Vloten-Straße** zeichnet sich durch eine stützenfreie gewölbte Bahnsteighalle mit einer Stützweite von 14,20 m, einer Höhe von 7,60 m und einer Länge von 95 m aus. Zur Hervorhebung der Gewölbearchitektur sind auch die innen liegenden Treppenaufgänge zu den beiden Zwischengeschossen sowie die Tunnelportale der Gleise entsprechend ausgebildet. Südlich davon kommt die weiterhin kreuzungsfreie Strecke kurz ans Tageslicht.

①-④ Willem-van-Vloten-Straße
⑤ Hörde Bahnhof > Willem-van-Vloten-Straße

*The underground station at **Willem-van-Vloten-Straße** is characterised by its 7.6 m high vaulted ceiling, which spans over a 14.2 m wide station. The platform is 95 m long. The round shapes can also be observed above the stairs, at the tunnel portals and even on the surface.*

There is a short stretch in the open air between Willem-van-Vloten-Straße and Hörde Bahnhof, though it still lies on a totally grade-separated alignment.

Abgesehen von der alten Tunnelhaltestelle der Straßenbahn an den Westfalenhallen war der südliche Tunnelabschnitt der U41 mit den U-Bahnhöfen Hörde Bahnhof und Clarenberg 1983 die erste Tunnelstrecke Dortmunds. Ebenso war die südliche U41 1987 die erste echte Stadtbahnlinie Dortmunds mit B-Wagen-Einsatz. Die vorhergehende Straßenbahnstrecke war bereits seit 1896 elektrisch befahren worden, vorher gab es zwischen Dortmund und Hörde auch eine Dampfstraßenbahn.
Hörde Bahnhof im Zentrum des bedeutenden südlichen Vororts ist ein wichtiger Knotenpunkt mit Anschluss an die Regionalbahn sowie viele Buslinien. Der U-Bahnhof **Clarenberg** erschließt den südlichen Teil von Hörde und liegt zentral im bebauten Bereich. Südlich davon liegen vier Stumpfgleise, von den beiden äußeren ausgehend ist eine Streckenverlängerung weiter nach Südosten möglich.

①

②

③

Except for the original underground tram stop at Westfalenhallen, the southern U41 tunnel section, including the stations Hörde Bahnhof and Clarenberg, was Dortmund's first underground route, opened in 1983. U41 was also Dortmund's first real Stadtbahn line, having been operated with B-cars since 1987. Its predecessor was a tram line electrified in as early as 1896, and before that there was even a steam-operated tramway.
*At **Hörde Bahnhof**, transfer is provided to regional rail and bus services. The terminus **Clarenberg** lies in the middle of a densely populated neighbourhood. The four sidings found to the south of the station were built in provision for a future southern extension.*

④

①② Hörde Bahnhof
③④ Clarenberg

Die Strecke der heutigen Linie U47 nach Aplerbeck wurde 1913 mit Anschluss in Aplerbeck an die später stillgelegte Hörder Kreisbahn eröffnet. Sie erreicht östlich des U-Bahnhofs Märkische Straße die Oberfläche und folgt anschließend in Mittellage auf besonderem Bahnkörper der B1. Bislang gibt es auf dem Abschnitt von **Kohlgartenstraße** bis **Stadtkrone Ost** keine Hochbahnsteige, solche sollen mittelfristig im Zusammenhang mit dem geplanten Ausbau der B1 errichtet werden.

① Kohlgartenstraße > Märkische Straße
② Kohlgartenstraße
③ Lübkestraße
④ Max-Eyth-Straße
⑤ Stadtkrone Ost

The tram route to Aplerbeck opened in 1913. At Aplerbeck, it was linked to the 'Hörder Kreisbahn', which no longer exists today. The route emerges from the tunnel to the east of Märkische Straße station, and continues in the middle strip of the B1 trunk road.

*As of yet there are no high platforms between **Kohlgartenstraße** and **Stadtkrone Ost**; these are planned for the midterm future in conjunction with a tunnel for the B1.*

Östlich der 2003 kreuzungsfrei umgebauten Station **Hauptfriedhof** fädelt die U47 dann niveaugleich aus der dort bereits autobahnähnlichen B1 aus und schwenkt in Richtung Süden. Der nachfolgende Abschnitt ist ab **Vahleweg** eingleisig, eine Kreuzungsmöglichkeit gibt es an der **Schürbankstraße**. Die Haltestellen von **Allerstraße** bis **Aplerbeck** wurden in den neunziger Jahren mit Hochbahnsteigen versehen.

*East of **Hauptfriedhof** station, rebuilt in 2003, line U47 leaves the middle strip of the B1 at grade to turn south. The route is single-track from **Vahleweg**, with a passing loop at **Schürbankstraße**. From **Allerstraße** to **Aplerbeck**, high platforms were built during the 1990s.*

①② Hauptfriedhof
③ Vahleweg
④ Allerstraße/Westfälische Klinik für Psychiatrie
⑤ Aplerbeck

Die Strecke nach **Grevel** war 1976 Dortmunds erste vollständig kreuzungsfreie Schnellbahnstrecke. Bis 1992 wurde sie aber mit Straßenbahnwagen im Vorlaufbetrieb mit niedrigen Bahnsteigen bedient. Grevel besaß ursprünglich eine Schleife, welche später durch eine zweigleisige Stumpfendstelle mit einer Verlängerungsoption nach Lanstrop ersetzt wurde. Die folgenden Bahnhöfe **Droote** und **Scharnhorst Zentrum** liegen in Hochlage. Scharnhorst Zentrum befindet sich in der Fußgängerzone der gleichnamigen Trabantenstadt und besitzt eine 51 x 17 m messende Vollüberdachung.

*In 1976, the route to Grevel became Dortmund's first totally segregated urban rail route. Until 1992, it was operated with tram vehicles using low platforms. The **Grevel** terminus originally had a reversing loop, this later being replaced by an island platform with two tracks. The route may one day be extended to Lanstrop.*
*The following stations **Droote** and **Scharnhorst Zentrum** are elevated. The latter is located in a pedestrianised area in the heart of this satellite town, and is covered with a 51 x 17 m overall roof.*

① Grevel
② Droote
③④ Scharnhorst Zentrum

①

②

Auch die Bahnhöfe **Flughafenstraße**, **Gleiwitzstraße** und **Kirchderne** liegen in Hochlage auf Dämmen oder Betonviadukten. Die Bahnsteiglängen betragen bis zu 115 m, für den Stadtbahnbetrieb wurden aber nur rund 60 m auf 90 cm Höhe angehoben. Die Seitenbahnsteige erhielten Kragdächer aus einer Stahlkonstruktion. Dem Bahnhof Gleiwitzstraße musste zum Bau ein 16-Familien-Haus weichen.

③

*The next three stations, **Flughafenstraße**, **Gleiwitzstraße** and **Kirchderne**, are also elevated, either on an embankment or concrete viaduct. Platforms have a total length of 115 m, but only 60 m of this was raised to 90 cm for Stadtbahn operation. The side platforms are covered with a steel roof. For the construction of Gleiwitzstraße, a block of 16 flats had to be demolished.*

④

①② Flughafenstraße
③ Gleiwitzstraße
④ Kirchderne

An der Haltestelle **Franz-Zimmer-Siedlung** schließt die Greveler Schnellbahn an die 1905 eröffnete Überlandstrecke der Landkreisbahn von Dortmund nach Lünen an. Bereits vor Fertigstellung der Schnellbahn war von dieser nördlich Franz-Zimmer-Siedlung nur noch ein Reststück nach Derne übrig, welches dann 1976 ebenfalls eingestellt wurde.
Von Franz-Zimmer-Siedlung bis zur Einfahrt in den zweiten Innenstadttunnel verläuft die Linie U42 auf besonderem Bahnkörper in Straßenmittellage. Die Bahnsteige wurden bald nach Einführung des Stadtbahnbetriebs 1992 angehoben. Bemerkenswert ist die Verknüpfungsanlage **Schulte Rödding**. Zwischen den Gleisen können hier in beiden Richtungen Busse halten, deren Fahrbahn auf das Niveau der Bahnsteige angehoben wurde. Die gesamte Stationsanlage ist überdacht.

*At **Franz-Zimmer-Siedlung**, the Grevel rapid tram route was connected to the interurban tram route that had opened between Dortmund and Lünen in 1905. By the time the rapid tram route had been built it had already been cut back to Derne, but in 1976 the entire route north of Franz-Zimmer-Siedlung was closed down.*
*On the section between Franz-Zimmer-Siedlung and the tunnel portal the Stadtbahn runs on a separate right-of-way with several level crossings. Platforms were raised soon after Stadtbahn operation began in 1992. The stop at **Schulte Rödding** is worth mentioning as it provides direct transfer to connecting buses, which stop between the Stadtbahn tracks under an overall roof.*

① Franz-Zimmer-Siedlung
② Schulte Rödding CG
③ Bauernkamp
④ Burgholz

Der nördlichste U-Bahnhof der Strecke II ist **Brunnenstraße**. Er wurde in offener Bauweise erstellt. Vorherrschende Farbe des Innenausbaus mit Bezug auf das Gestaltungsthema Wasser ist blau. An den Wänden befinden sich Emailtafeln mit Zeichnungen von Brunnen. Nördlich des Bahnhofs befindet sich eine unterirdische Kehranlage für die hier endende Linie U46.

①

*The northernmost underground station on route II is **Brunnenstraße**, which was built by cut-and-cover. The station is clad with blue enamel panels representing water, with several images showing different types of fountains [= Brunnen]. To the north of the station there are underground sidings used by the terminating U46 for reversing.*

②

① Eisenstraße
②-④ Brunnenstraße

③

④

Der U-Bahnhof **Brügmannplatz** besitzt an den Bahnsteigenden jeweils dreischiffige Bahnsteighallen mit den Zugängen, dazwischen erstrecken sich zwei getrennte Bahnsteigröhren. Möglich ist hier zu einem späteren Zeitpunkt die Schaffung eines Verknüpfungspunkts zur S-Bahn, die dafür über den Hauptbahnhof weiter nach Osten verlängert werden müsste.

Der U-Bahnhof **Reinoldikirche** liegt zentral im Einkaufsbereich und umfasst eine fertig gestellte obere Ebene für die zukünftige Strecke III sowie eine untere Ebene für die Strecke II. An der Oberfläche markiert ein 49 m hoher Pylon mit angehängtem Glasdach den Schnittpunkt der städtischen Ost-West und Nord-Süd-Hauptachsen. Der Pylon setzt sich nach unten gestalterisch in Form eines Lichtschachtes mit einem Durchmesser von 10 m fort, an dem sich auch das runde Zwischengeschoss orientiert.

①-③ Brügmannplatz
④⑤ Reinoldikirche

*The station at **Brügmannplatz** is of the tube type, with a central nave at each end. In the future this station may provide transfer to the S-Bahn, which is planned to be extended east from Hauptbahnhof.*

***Reinoldikirche** station lies in the heart of the shopping area, with a completed upper level built for the future route III, and a lower level used by route II. A 49 m high pylon on the surface marks the intersection of the two routes. It continues underground in the form of a 10 m diameter shaft that takes daylight into the round mezzanine.*

Beim Innenausbau des Bahnhofs **Reinoldikirche** bezog man sich auf das namensgebende Bauwerk: Die Natursteinverkleidung in der Farbe des für die Kirche verwendeten Ruhrsandsteins vermittelt ein warmes Erscheinungsbild, von Georg Meißner gestaltete Emailtafeln zeigen Motive aus dem Innen- und Außenbereich der Kirche.
Die untere Bahnsteigebene (-2) des U-Bahnhofs **Stadtgarten** wurde im Rohbau zusammen mit der Strecke I bereits 1976 vollendet. 1992 konnte die U42 von Norden kommend in den nachträglich mit Aufzügen versehenen Bahnhof eingeführt werden, wo sie zunächst endete. Als Verzweigungsbahnhof der Linien U42 und U46 besitzt die Ebene der Strecke II drei Bahnsteiggleise. Auch hier finden sich als Gestaltungselemente Emailwände von Georg Meißner.

①

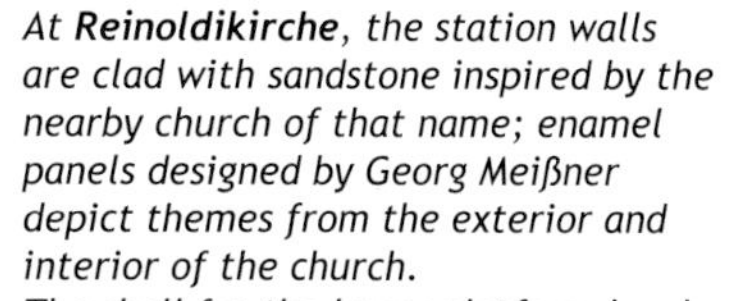

*At **Reinoldikirche**, the station walls are clad with sandstone inspired by the nearby church of that name; enamel panels designed by Georg Meißner depict themes from the exterior and interior of the church.*
*The shell for the lower platform level (-2) at **Stadtgarten** had already been built in 1976 together with route I. From 1992, line U42 from Grevel terminated at this station, which had been retrofitted with lifts. As a junction for lines U42 and U46 the route II station was built with three tracks. The side walls were decorated with enamel panels designed by Georg Meißner.*

②

① Reinoldikirche
②-④ Stadtgarten
③ RS

③

④

Städtische Kliniken ging 1995 als erster Dortmunder U-Bahnhof ausschließlich mit Hochbahnsteigen in Betrieb. Wandtafeln zum Thema Medizin schmücken die Bahnsteigebene.
Der folgende Streckenabschnitt zum Anschluss der Außenstrecke nach Hombruch konnte 2002 vollendet werden.
In der Zwischenzeit war Städtische Kliniken Endpunkt einer zwischen 1996 und 2002 lediglich ab Brunnenstraße verkehrenden Pendellinie.

①-③ Städtische Kliniken
④⑤ Möllerbrücke

*In 1995, **Städtische Kliniken** became the first underground station in Dortmund to have high platforms along its entire length. The tunnel walls are decorated with medical themes.*

The following underground section and the upgraded surface route to Hombruch were brought into service in 2002. From 1996 until 2002, Städtische Kliniken was the terminus for a short line that operated only between here and Brunnenstraße.

Am U-Bahnhof **Möllerbrücke** kann in die im Einschnitt über der Stadtbahn verlaufende S-Bahn-Linie S4 umgestiegen werden. Direkte Verbindungen verknüpfen die Tunnelstation mit den beiden Seitenbahnsteigen der S-Bahn (siehe S. 73). Die Architekten Kopka & Theil gestalteten die Stadtbahnstation nach dem Thema ‚Dortmunder Brücken', die Innenverkleidung ähnelt dem Ruhrsandstein der Möllerbrücke.
Der U-Bahnhof **Kreuzstraße** wurde vom Architekturbüro Landskröner & Köhler unter Mitarbeit von Kindern der nahen Kreuzgrundschule gestaltet. Wandmosaike zeigen das Schulgebäude und spielende Kinder.

*At **Möllerbrücke**, transfer is provided to S-Bahn line S4, which runs in a cutting on the surface. The underground station is directly linked to the S-Bahn side platforms (see page 73). The Stadtbahn station was designed by the architects Kopka & Theil. Various panels show details of Dortmund bridges, and the walls are partly clad in sandstone, a reference to the Möllerbrücke. At **Kreuzstraße**, the architects Landskröner & Köhler were assisted by children from a nearby school. The mosaics depict their school building and kids playing.*

① Möllerbrücke
②-④ Kreuzstraße

Die Außenstrecke nach Hombruch geht auf die 1899 meterspurig von der Hörder Kreisbahn eröffnete Strecke von Barop nach Hombruch zurück, welche 1927 durch eine neu gebaute Normalspurlinie Dortmund – Hombruch in Schnellstraßenbahnmanier weitgehend auf Eigentrassen ersetzt wurde. Bis 2002 wurde die Strecke für den Stadtbahnbetrieb modernisiert. Dabei verblieben zwei kurze Abschnitte in Höhe **Am Beilstück** sowie **Harkortstraße** straßenbündig. Die oberirdischen Haltestellen besitzen Mittelbahnsteige, welche von der Planungsgruppe Schröder, Schulte-Ladbeck, Strothmann konzipiert wurden. Schräg stehende Dachstützen und Leuchtenmaste sollen die Dynamik der Stadtbahn verdeutlichen. Aus der Gestaltung der Zwischenstationen ragt Harkortstraße im Hombrucher Zentrum mit einer filigranen Dachkonstruktion heraus.

*The surface route to Hombruch dates back to 1899, when a metre-gauge tram route was opened by the 'Hörder Kreisbahn' between Barop and Hombruch. In 1927, this line was replaced by a normal-gauge line from Dortmund to Hombruch, which was mostly aligned on a separate right-of-way. By 2002, the route had been upgraded for Stadtbahn operation. Two short sections at **Am Beilstück** and **Harkortstraße** remain embedded in the roadway. The island platforms were designed by 'Schröder, Schulte-Ladbeck, Strothmann', with inclined poles emphasising the dynamic Stadtbahn. With an elegant roof along most of the platform's length, the stop at Harkortstraße is different from the standard type on this route.*

① Theodor-Fliedner-Heim > Kreuzstraße
② An der Palmweide
③ Am Beilstück
④ Barop Parkhaus (RS)

An der Station **Barop Parkhaus** wurde 2002 für die U42 zunächst eine provisorische Streckenführung eingerichtet. Seit 2005 steht die endgültige Trasse zur Verfügung. Die Stadtbahn erhielt hier zur Unterfahrung einer Hauptstraße eine 520 m lange Trogstrecke mit tief liegendem Bahnhof. Dieser besitzt einen 80 m langen und 5,50 bis 9 m breiten Mittelbahnsteig, Treppen, Rolltreppen und Aufzug. Oberirdisch besteht Anschluss zum Busverkehr, geplant ist auch ein Haltepunkt an der nahen S-Bahn-Linie S5. Die Haltestellenbezeichnung „Parkhaus" ist nicht im Sinne von „parken", sondern von „Haus im Park" zu verstehen, das Parkhaus ist ein historisches Veranstaltungszentrum. An der Haltestelle **Harkortstraße** waren die Platzverhältnisse so beengt, dass eine Grundstückszufahrt auf der Gleistrasse neben dem Bahnsteig im Zweirichtungsbetrieb angelegt werden musste.

In 2002, the Hombruch route started running along a temporary alignment in the ***Barop Parkhaus*** *area. The permanent station, completed in 2005, lies in a 520 m cutting under a busy main road. It has an 80 m long island platform (5.5 - 9.0 m wide) accessible via stairs, escalators and a lift. The station provides transfer to buses, and in the future will also enable transfer to S-Bahn line S5. The station name refers to the 'house in the park', an historical entertainment venue. The* ***Harkortstraße*** *stop lies in a very narrow street, so one track is paved for neighbours to access their properties.*

① Barop Parkhaus
② Harkortstraße
③ Hombruch Hallenbad > Harkortstraße RS
④ Hombruch Grotenbachstraße

Viele U-Bahnhöfe der Strecke II haben zwei runde Bahnsteigröhren, die zwischen den Gleisen angeordneten Seitenbahnsteige sind stellenweise zu einem Mittelbahnsteig miteinander verbunden. Vermitteln viele Bahnhöfe der Strecke I in ihrer Material- und Farbgestaltung Flair der siebziger Jahre mit recht nüchternem Erscheinungsbild, so wurden jene der Strecke II individueller ausgebaut. Am Bahnhof **Saarlandstraße** sind die blank polierten Stahlelemente und die Farbfelder im Stil des holländischen Malers Mondrian zu erwähnen. Der U-Bahnhof **Polizeipräsidium** ist in hellblau gehalten und mit Wandgemälden geschmückt.

Many of the underground stations on route II are of the tube type, with both platforms either connected only at the ends or along a longer section. Compared to most stations on route I which represent the typical style and colours of the 1970s, those on route II boast more spectacular designs.
At ***Saarlandstraße****, the polished stainless steel panels together with areas coloured in a Mondrian fashion are characteristic features.*
The underground station at ***Polizeipräsidium*** *is tiled in light-blue, with several paintings decorating the tunnel walls.*

①-③ Saarlandstraße
④ Polizeipräsidium

①

②

Der U-Bahnhof **Westfalenhallen** (der Name bezieht sich auf das benachbarte Ausstellungsgelände) entstand in offener Bauweise an Stelle der ersten unterirdischen Straßenbahnhaltestelle Dortmunds völlig neu. Über einen mit einer architektonisch bemerkenswerten Glaskonstruktion überdachten Zugangsbereich fällt Tageslicht bis in die Bahnsteigebene mit Mittelbahnsteig. Nördlich schließt der Tunnel der Strecke II an. Die Linien U45 und U46 enden hier eigentlich nicht, sondern fahren direkt auf der jeweils anderen Linie weiter. Unmittelbar südlich der Station wird die Stadtbahn über ein Rampenbauwerk an die Oberfläche geleitet und so mit der Strecke I verknüpft (siehe S. 86/87).

①② Polizeipräsidium
③-⑤ Westfalenhallen

③

*The underground station **Westfalenhallen** (the name refers to the adjacent exhibition centre) was built by the cut-and-cover method. It replaced the former underground tram stop at the same location. The overall glass roof allows daylight to fall into the station. At Westfalenhallen, lines U45 and U46 actually do not terminate, but instead simply change their line numbers and continue on the other line. The route II tunnel starts immediately to the north of the station; at the southern side, a ramp takes the Stadtbahn onto the surface, where it is linked to route I (see page 86/87).*

④

⑤

Die Dortmunder Ost-West-Strecke zeigt sich bislang noch sehr traditionell und wird ausschließlich von N-Wagen bedient. Der zentrale Abschnitt zwischen **Dorstfeld** und Funkenburg war 1894 eine der beiden ersten elektrischen Straßenbahnlinien Dortmunds. Westlich daran anschließend baute die ehemalige Landkreisbahn bis 1912 die heutige Außenstrecke von Dorstfeld nach **Marten**. Weiterführende Überlandbahnen in Richtung Castrop und Lütgendortmund existieren heute nicht mehr. In Dorstfeld befindet sich der Betriebshof für alle Dortmunder Straßen- und Stadtbahnlinien, er ist über eine Betriebsstrecke auch an die Stadtbahnstrecke I westlich der Station Hafen angebunden.

① Marten Walbertstraße
② Marten Süd
③ Dorstfeld Betriebshof
④ Dorstfeld Betriebshof > Wittener Straße
⑤ Wittener Straße

*The east-west route resembles a conventional street tramway, and is exclusively operated with N-cars. The central section between **Dorstfeld** and Funkenburg opened in 1894 as one of the first electric tramway routes in Dortmund. The western section from Dorstfeld to **Marten** was built in 1912 by the former 'Landkreisbahn'. The interurban routes from there to Castrop and Lütgendortmund have long since disappeared. The maintenance depot for all Stadtbahn and tram vehicles is located at Dorstfeld. It is also accessible from route I via a service track from Hafen.*

Der zukünftige Ost-West-Tunnel für die Straßenbahnlinien 403 und 404 wurde 2005 im Rohbau weitgehend fertig gestellt. In seinem westlichen Teil liegen die beiden U-Bahnhöfe **Unionstraße** und **Westentor**, ersterer mit einer geräumigen, stützenfreien runden Bahnsteighalle, der zweite mit zwei Säulengängen. Westlich des U-Bahnhofs Westentor liegt ein Abstellgleis. Die Tunnelstrecke soll Anfang 2008 in Betrieb gehen. Anders als bei den Strecken I und II werden hier Niederflurstadtbahnen verkehren, da auf den Außenstrecken an den meisten Haltestellen der Bau von Hochbahnsteigen problematisch ist.

*The tunnel shell for the future east-west route had largely been completed by 2005. The western section includes the underground stations **Unionstraße** and **Westentor**, the former with a large vaulted ceiling without supporting pillars, and the latter with two rows of columns that divide the island platform into three naves. To the west of Westentor station there is a centre siding. The tunnel is scheduled to open in 2008. It will be operated with low-floor tram vehicles, as the construction of high platforms would be difficult at most surface stops.*

① Unionstraße (2005)
② Unionstraße > Heinrichstraße (2005)
③ Westentor > Kampstraße
④ Westentor (2005) RS

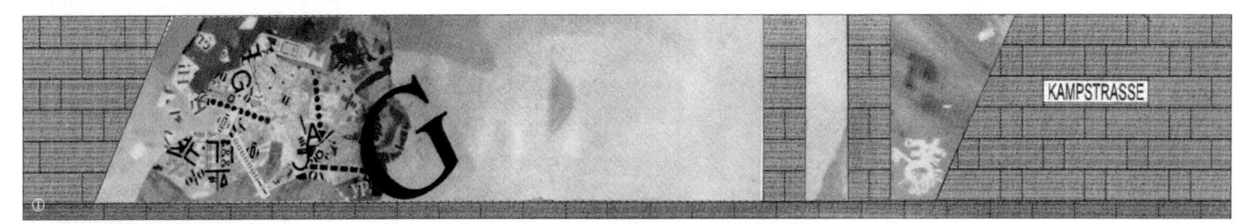

An der **Kampstraße** wird die Ost-West-Strecke zukünftig durch den im Rohbau bereits in den siebziger Jahren vollendeten unteren Teil des dortigen Turmbahnhofs fahren. Derzeit verlaufen die Linien 403 und 404 hier durch verkehrsberuhigte Straßen. Bis 2002 zweigte in diesem Bereich noch die ehemalige Straßenbahnlinie Richtung Hombruch ab, bis sie dann von der unterirdischen U42 abgelöst wurde.
Verkehrliche Vorteile wird der Ost-West-Tunnel vorwiegend am Rande der Innenstadt bringen, wo stark belastete kreuzende Hauptstraßenzüge ab 2008 störungsfrei unterfahren werden können.

*At **Kampstraße**, the station shell for route III had already been built together with route I during the 1970s. It is located below the present station on the north-south route. Tram lines 403 and 404 now run on the surface along Kampstraße, which has been closed to through traffic. There was a surface branch to Hombruch until 2002, when it was replaced by the underground line U42.*
From 2008, the east-west tunnel will lead to significant improvements, especially at the edge of the city centre, where the present surface route crosses several busy roads.

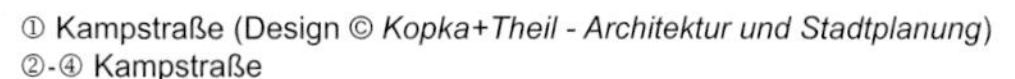

① Kampstraße (Design © *Kopka+Theil - Architektur und Stadtplanung*)
②-④ Kampstraße
⑤ Reinoldikirche RS

Auch im Turmbahnhof **Reinoldikirche** wurde die zukünftige Ost-West-Ebene bereits als Bauvorleistung mitgebaut, in diesem Falle gemeinsam mit der Strecke II. Im Unterschied zu Kampstraße stellte man die Ost-West-Ebene aber sofort vollständig fertig, sie ist seitdem für Passanten zugänglich. Da auf der Ost-West-Achse in Zukunft Niederflurstadtbahnen fahren sollen, müssen bis 2008 bereits vorhandene hohe Bahnsteigabschnitte wieder abgebrochen werden.
Östlich des Bahnhofs Reinoldikirche fädelt die Strecke zur Westfalenhütte niveaufrei aus.
Ostentor wird der östlichste U-Bahnhof der Strecke III sein. Die anschließende Tunnelrampe mündet in die oberirdische Station Lippestraße, die bereits mit 35 cm hohen Seitenbahnsteigen für die zukünftigen Niederflurbahnen ausgestattet wurde.

*At **Reinoldikirche**, the route III station was fully built together with the route II station located on the lower level. The still unused part of the station is already accessible by passengers on their way down to U42 or U46. At least part of the existing high platform section will have to be demolished for the use of low-floor trams.*
To the east of Reinoldikirche, the route to Westfalenhütte diverges in a grade-separated junction.
*After serving the underground station at **Ostentor**, the trams will reach the surface on a ramp before arriving at **Lippestraße**, where 35 cm high platforms are already in place.*

① Reinoldikirche
② Ostentor (Design © *Wolfgang Willers + Partner, Architekten, Ingenieure, Bochum*)
③ Lippestraße > Ostentor
④ Lippestraße

Die Außenstrecke nach Wickede ist ein weiteres Relikt der Landkreisbahn. Diese nahm 1906 die Überlandbahn Körne – Brackel – Wickede – Unna in Betrieb. 1965 wurde der äußerste Abschnitt von Wickede nach Unna eingestellt. In **Brackel** und **Wickede** verläuft die Straßenbahn parallel zur S-Bahn-Linie S4, erfüllt aber mit ihrer besseren Feinerschließung bei längerer Fahrzeit ins Dortmunder Zentrum andere Verkehrsaufgaben. Östlich von Brackel war die Straßenbahn gleichwohl lange Zeit einstellungsgefährdet, sie soll nun aber modernisiert werden. Bislang ist die Strecke ab der Zwischenschleife **In den Börten** nur eingleisig.

The route to Wickede is part of the interurban tram line from Körne to Unna via Brackel and Wickede that was opened in 1906 by the 'Landkreisbahn'. The section from Wickede to Unna was abandoned in 1965. Through ***Brackel*** *and* ***Wickede*** *the tram line runs parallel to S-Bahn line S4, but with more frequent stops its function is quite different. East of Brackel the line has repeatedly been in danger of being closed down, but its modernisation has now been decided upon. From Brackel* ***In den Börten*** *to Wickede the route is only single-track.*

① Am Zehnthof RS
②③ Brackel In den Börten
④ Bockumweg

①

②

Die straßenbündig verlaufende kurze Stichstrecke zur **Westfalenhütte** wurde 1900 eröffnet. Sie führte früher durch das Werksgelände weiter. Bekannt ist die Verbindung auch als **Borsigplatz**linie. Bis in die neunziger Jahre sollte die Strecke mit Eröffnung des Ost-West-Tunnels eingestellt werden. Letztendlich entschloss man sich zu einer Modernisierung und einer Anbindung an den zukünftigen Tunnel. Diese Anbindung wird östlich des U-Bahnhofs Reinoldikirche kreuzungsfrei von der Ost-West-Achse abzweigen und an der Rampe **Geschwister-Scholl-Straße** die Oberfläche erreichen.

③

*The on-street branch to **Westfalenhütte**, also known as the **Borsigplatz** line, opened in 1900. It used to run across the area occupied by the steel-making factory Westfalenhütte, and was to be closed down completely once the east-west tunnel had been opened. Eventually a decision was taken to modernise it and link it to the third cross-city tunnel via a grade-separated junction east of Reinoldikirche station. The tunnel ramp is under construction just south of the present **Geschwister-Scholl-Straße** stop.*

④

① Wickede Post
② DO-Wickede
③ Borsigplatz CG
④ Westfalenhütte

*The Dortmund **H-Bahn** is a suspended railway, and the first fully automated rail system in Germany. It functions as a distributor within the University campus and as a feeder to the S-Bahn network. The total length of the system is 3.2 km, with five stations and six switches. It operates two lines, which carry some 5,000 passengers daily.*

*The first section opened on 2 May 1984 and linked two separate areas of the Dortmund University campus. It was 1.1 km long and had two stations, **Campus Nord** and **Campus Süd**. On 2 December 2003, it was extended from Campus Süd to the suburb of **Eichlinghofen**. At the same time, a short branch was built to serve the **Dortmund-Universität** S-Bahn station, located very close to the existing Campus Nord station. These extensions added 0.9 km to the total length of the network. The original line had to be upgraded as the new branch line brought about a more complex operational scheme. The last extension (1.2 km) opened on 19 December 2003 from Dortmund-Universität to **Technologiezentrum** (Fraunhofer Institute). There are plans for a future extension from Dortmund-Universität to an interchange station at Barop Parkhaus, where it would link to Stadtbahn line U42 and later also to S-Bahn line S5.*

Technically, the H-Bahn is a predecessor of the Skytrain now operating at Düsseldorf Airport. It was developed by Siemens in Düsseldorf and Erlangen. Unlike the Airport Skytrain, the H-Bahn has never experienced teething problems. The H-Bahn cars are driven by DC motors (400 V) located inside the vehicles.

The modular beams were mounted on prefabricated pillars. Protected from the weather, the rubber tyres run inside the elevated guideway. All sections between stations are only single-track, whereas most stations are equipped with two

Die Dortmunder **H-Bahn** ist eine vollautomatische Kabinenhängebahn und gleichzeitig das älteste zugelassene automatische Verkehrssystem Deutschlands. Ihre Verkehrszwecke liegen in der Erschließung der Dortmunder Universität sowie im Zubringerverkehr zur S-Bahn. Das System ist etwa 3,2 km lang und besitzt fünf Stationen sowie sechs Weichen. Auf zwei Linien werden täglich gut 5.000 Fahrgäste befördert.

Die erste Teilstrecke ging am 2. Mai 1984 als Verbindung zwischen zwei räumlich getrennten Campusbereichen der Dortmunder Universität in Betrieb. Sie umfasste 1,1 km Fahrtrasse sowie die Stationen **Campus Nord** und **Campus Süd**. Am 2. Dezember 1993 kamen eine Verlängerung von Campus Süd in den Vorort **Eichlinghofen** sowie ein kurzer Abzweig unweit Campus Nord zum **S-Bahnhof Dortmund-Universität** mit zusammen 0,9 km Länge hinzu. Damit verbunden war eine Modernisierung des älteren Abschnitts. Für den automatischen Betrieb stellten der Abzweig und die damit verbundene Einführung unterschiedlicher Linien mit mehreren Zügen eine neue Komplexitätsstufe dar. Zuletzt wurde am 19. Dezember 2003 eine 1,2 km lange Verlängerung von Dortmund-Universität bis zum **Technologiezentrum** (Fraun-

① DO-Universität S > Campus Süd RS
② H-Bahn

Dortmund Hbf
❶ Technologiezentrum
Campus Nord ❷
Dortmund Universität S
Bochum S1
❷ Campus Süd
❶ Eichlinghofen
H-Bahn
S-Bahn
2006 © Robert Schwandl

hofer-Institut) in Betrieb genommen. Zukunftsplanungen sehen eine weitere Streckenergänzung von Dortmund-Universität zum Knotenpunkt Barop Parkhaus mit Anschluss an die Stadtbahn und perspektivisch auch die S-Bahn-Linie S5 vor.
Technisch handelt es sich bei der von Siemens auf Testanlagen in Düsseldorf und Erlangen konzipierten H-Bahn um ein Vorläufersystem zum Skytrain am Düsseldorfer Flughafen. Im Gegensatz zu letzterem gab es bei der H-Bahn seit ihrer Inbetriebnahme aber keine vergleichbaren Betriebsstörungen. Der Antrieb erfolgt über in den Fahrzeugen befindliche Gleichstrommotoren bei einer Spannung von 400 V.
Die Fahrwege konnten nach dem Baukastenprinzip aus standardisierten Stützen und Trägern gebaut werden. Innerhalb der Fahrwegträger laufen die Kabinen witterungsgeschützt auf Gummirädern. Alle Streckenabschnitte sind einspurig, die Stationen dagegen meist zweispurig mit zwei Bahnsteigkanten. An der Station Dortmund-Universität gibt es eine Kreuzungsmöglichkeit, an den Endstellen Campus Nord und Eichlinghofen jeweils zwei stumpf endende Fahrspuren sowie an der Station Campus Süd eine durchgehende und eine endende Fahrspur. Lediglich am Technologiezentrum endet die Strecke einspurig.
Die Linie 1 der H-Bahn verkehrt zwischen Eichlinghofen und Technologiezentrum. Wichtige Verknüpfungen zu weiterführenden Verkehrsmitteln bestehen in Eichlinghofen zum Busnetz, sowie zur S-Bahn am S-Bahnhof Dortmund-Universität. Dagegen verkehrt die kürzere Pendellinie 2 im reinen Binnenverkehr der Universität zwischen Campus Nord und Campus Süd. Die Station Campus Süd wird dabei als Umsteigestation von beiden Linien bedient. Campus Nord und Dortmund-Universität liegen in fußläufiger Entfernung nebeneinander. Auf dem gemeinsam von beiden Linien befahrenen Abschnitt zwischen Campus Süd und dem Abzweig mit insgesamt bis zu 36 Fahrten pro Stunde beträgt die minimale Zugfolge 40 Sekunden. Trotzdem konnte dank Automatik auch hier ein einspuriger Fahrweg gebaut werden, die beiden Linien fahren hier jeweils richtungsbezogen kurz hintereinander her.

① Campus Nord RS
② Eichlinghofen RS
③ DO-Universität S RS

tracks. At Dortmund-Universität there is a passing loop, and at the termini Campus Nord and Eichlinghofen there are two bay tracks. At Campus Süd, however, there is one bay track and one through track. The terminus at Technologiezentrum is only single-track. Line 1 is operated between Eichlinghofen and Technologiezentrum; it provides transfer with bus services at its southern terminus, and to S-Bahn line S1 at Dortmund-Universität. The shorter line 2 is a shuttle service between Campus Nord and Campus Süd, the latter functioning as a transfer station between both lines. Campus Nord and Dortmund-Universität are within walking distance of each other. The section between the junction and Campus Süd is only single-track, although there are up to 36 journeys an hour with a minimum headway of 40 seconds. Due to the automatic operation, both lines share the same slot in each direction, with one vehicle running behind the other at a short interval.

Der Betriebszeitraum erstreckt sich zwischen 6:30 Uhr und Mitternacht. Dabei fährt die Linie 1 zwischen 6:30 und 21:30 alle zehn Minuten, die Linie 2 zwischen 7:00 Uhr und 20:00 sogar alle fünf Minuten. Zu den sonstigen Betriebszeiten herrscht jeweils bedarfsgesteuerter Betrieb auf Anforderung. Die Fahrzeiten der Linien betragen 7 bzw. 2 Minuten. Weder die Fahrzeuge noch die Stationen sind personalbesetzt, die gesamte Anlage wird von einer im Universitätsgelände befindlichen Leitstelle aus überwacht. Ein Ortungssystem erlaubt dabei die Positionsbestimmung der Züge auf 3 cm Genauigkeit. Zur Betriebssicherheit besitzen die Stationen Bahnsteigtüren, die sich synchron mit den Fahrzeugtüren öffnen und schließen.

The H-Bahn operates from 06:30 until midnight, with line 1 operating every 10 minutes from 06:30 until 21:30, and line 2 running every 5 minutes from 07:00 until 20:00. At other times, trains pass upon request. The journey time on line 1 is seven minutes, and on line 2 only two minutes. Neither vehicles nor stations are staffed, the entire system being remote-controlled from a control centre located inside the University campus. The position of each vehicle can be identified to an accuracy of 3 cm. The stations are equipped with platform screen doors which open and close simultaneously with the train doors.

①② S-Bahn-Station Dortmund-Universität
③ H-Bahn-Station Universität S (RS)
④ Technologiezentrum

①

②

Für den Betrieb stehen vier Kabinen mit 16 Sitz- und 29 Stehplätzen zur Verfügung. Drei wurden 1993 im Zuge der Modernisierung und Erweiterung der H-Bahn geliefert, eine weitere für die Verlängerung zum Technologiezentrum. Dazu kommt ein Wartungsfahrzeug. Normalerweise pendeln zwei Kabinen auf der Linie 1 und eine auf der Linie 2, die vierte dient als Reserve.
Tariflich ist die H-Bahn in den Verkehrsverbund Rhein-Ruhr integriert. Zusätzlich gibt es aber neben dem VRR-Tarif auch einen deutlich preisgünstigeren Haustarif für Fahrten nur auf der H-Bahn.

③

The H-Bahn fleet consists of four vehicles, each with a capacity of 16 seated and 29 standing passengers. Three of the four vehicles date from 1993, when the system was extended for the first time and upgraded. The fourth car was acquired for the extension to Technologiezentrum. During normal service, two vehicles operate on line 1 and a third vehicle provides the shuttle service on line 2; the fourth is kept in reserve. The H-Bahn is fully integrated into the tariff system of the Verkehrsverbund Rhein-Ruhr, although there are also cheaper tickets available for exclusive use on the H-Bahn.

④

①② Campus Nord
③ Campus Süd RS
④ Eichlinghofen

With some 330,000 inhabitants, Bielefeld is the centre of eastern Westphalia. The first record of this city dates from the 11th century. Later, Bielefeld became a member of the Hanseatic League. As a result of the opening of the Cologne - Minden Railway, Bielefeld developed into a centre for both the textile industry and mechanical engineering. The present city boundaries date from 1973, when the former Kreis (district) Bielefeld was annexed.
Bielefeld lies halfway between Hanover and Dortmund, about 100 km from the Ruhr District. As the general guidelines for Stadtbahn construction, approved during the 1960s by the state of North-Rhine - Westphalia, were also applied in Bielefeld, the city's Stadtbahn network was included in this book.

Jahnplatz

Bielefeld am Fuße des Teutoburger Waldes ist das Zentrum Ostwestfalens und hat derzeit mit wachsender Tendenz etwa 330.000 Einwohner. Die Stadt wurde im 11. Jahrhundert erstmals erwähnt und war später Mitglied der Hanse. Nach Eröffnung der Köln-Mindener Eisenbahn entwickelte sich eine bedeutsame Textil- und Maschinenbauindustrie. Seit dem Jahre 1930 ist Bielefeld Großstadt, das heutige Stadtgebiet entstand mit der kompletten Eingemeindung des vormaligen Kreises Bielefeld im Jahre 1973.
Auf halber Strecke zwischen Dortmund und Hannover gelegen, ist Bielefeld etwa 100 km vom Ruhrgebiet entfernt. Da jedoch Ende der sechziger Jahre die vom Land Nordrhein-Westfalen für das Ruhrgebiet konzipierten Stadtbahnrahmenplanungen auch für Bielefeld adaptiert wurden, wird das dortige Stadtbahnnetz hier mitbetrachtet.

_ Streckennetz

Bielefeld besitzt abgesehen vom isolierten Sonderfall der Essener Südstrecke das einzige meterspurige, hochflurige Stadtbahnnetz Deutschlands. Kernstück ist die innerstädtische Stammstrecke mit den unterirdischen Stationen Hauptbahnhof und Jahnplatz sowie der oberirdischen Haltestelle Rathaus. An diese Stammstrecke schließen im Norden vier und im Süden drei Außenstrecken an.
Die nördlichen Außenäste verzweigen sich unterirdisch im Anschluss an den U-Bahnhof Hauptbahnhof. Während die Strecke nach Schildesche kurz darauf das Tageslicht erreicht, verfügen die drei anderen Strecken nach Lohmannshof, Babenhausen Süd und Milse alle über eigene weiterführende Tunnelstücke mit weiteren unterirdischen Haltestellen. Im Süden verlaufen die Strecken nach Senne, Sieker und Stieghorst ab Rathaus dagegen vollständig oberirdisch weiter. Einige Außenstrecken sind stadtbahngerecht ausgebaut und besitzen längere unabhängig trassierte Streckenstücke an der Oberfläche oder im Einschnitt, die teilweise sogar kreuzungsfrei ausgebaut sind. Zu nennen sind dabei die gesamte Linie 4, die nördlichen Abschnitte der Linien 1 und 2 sowie die äußeren Südabschnitte der Linien 1 und 3. Lediglich die südliche Linie 2 nach Sieker verläuft auf voller Länge ohne eigenen Bahnkörper im Straßenraum.
Ein überaus vorbildliches Charakteristikum der Bielefelder Stadtbahn sind mehrere Endstationen, die stufenfrei auf kürzestem Wege das Umsteigen von der Bahn in weiterführende

_ The Network

Except for the special case of the southern route in Essen, Bielefeld has the only metre-gauge high-floor Stadtbahn system in Germany. The centrepiece of the system is the inner-city trunk route, with underground stations at Hauptbahnhof [Central Station] and Jahnplatz, as well as a surface stop at Rathaus [City Hall]. At the northern end, four branches are linked to this trunk route, and at the southern end, three.
The northern branches diverge in a grade-separated junction north of the underground station at Hauptbahnhof. Whereas the route to Schildesche (line 1) emerges from the tunnel after a short section, the other three branches include several underground stations. The southern branches to Stieghorst, Sieker and Senne, however, run completely on the surface. Some of the surface routes have Stadtbahn standard, with a high level of separated right-of-way and even some sections without level crossings. This is especially true for the entire line 4, the northern parts of lines 1 and 2, as well as the outer sections of the southern parts of lines 1 and 3. The entire southern part of line 2 to Sieker, however, runs on-street.
At several termini, transfer to feeder buses is provided from the opposite side of the same platform. Except for Stieghorst (line 3), all termini have reversing loops, reminders of the former uni-directional operation.

Siegfriedplatz

Stadtbahnnetz | *Light Rail Network*		
Strecke *Route*	Länge (km) *Length (km)*	Eröffnung *Opening*
Kattenkamp – Schildesche	*0,8*	*14-04-1968*
Schüco – Baumheide	*1,65*	*30-05-1969*
U Beckhausstraße	*0,7*	*21-09-1971*
Baumheide – Milse	*1,5*	*01-04-1978*
Rosenhöhe – Senne	*0,8*	*23-06-1979*
Voltmannstraße – Babenhausen Süd	*0,2*	*28-09-1980*
Nordpark / Beckhausstr. / Sudbrackstraße – Jahnplatz – Rathaus	*3,9*	*28-04-1991*
Sieker Mitte – Elpke	*1,6*	*26-08-1995*
Elpke – Stieghorst	*1,0*	*28-09-1996*
Hauptbahnhof – Universität (prov./temporary Station)	*3,1*	*02-04-2000*
Universität (endgültige/permanent Station)	*0,9*	*02-09-2001*
Universität – Lohmannshof	*0,7*	*29-09-2002*
Gesamt | *Total* - 4 Linien | *Lines* - 62 Haltestellen | *Stops*	*31,9 km*	

Stadtbahn-Logo ©

Busse und umgekehrt erlauben. Bis heute dominieren an den Endstationen als Zeuge des ehemaligen Einrichtungsbetriebes Wendeschleifen, schleifenlos ist lediglich die südliche Endstelle Stieghorst Zentrum der Linie 3.

_ Betrieb

Tagsüber wird das Stadtbahnnetz durch die Linien 1 bis 4 bedient. Dabei fahren die Durchmesserlinien 1 bis 3 montags bis samstags alle zehn und sonntags alle fünfzehn Minuten. Die in der Innenstadt am Rathaus endende Halbmesserlinie 4 wird darüber hinaus morgens und nachmittags während der Vorlesungszeiten der Universität auf einen 5-Minuten-Takt verdichtet. In der HVZ werden auch die Linien 1 und 3 auf einen 5-Minuten-Takt verdichtet. Abends fahren die Linien 1, 3 und 4 alle fünfzehn Minuten, die Linie 2 dagegen nur halbstündlich. Dazu kommen mehrere Zusatzlinien mit zweistelligen Liniennummern, die nur sehr eingeschränkt verkehren: Die Linie 10 kombiniert spätabends halbstündig die Linie 4 mit dem südlichen Abschnitt der Linie 3, gleichzeitig fahren die Linien 3 und 4 ebenfalls nur noch halbstündig. Dadurch wird erreicht, dass der südliche Abschnitt der Linie 3 und die Strecke der Linie 4 weiterhin alle fünfzehn Minuten, der nördliche Abschnitt der Linie 3 aber nur noch alle dreißig Minuten bedient wird. Die Liniennummern 12, 13 und 18 bezeichnen ein- und ausrückende Fahrten zum Betriebshof Sieker. Um die Übersichtlichkeit des Netzes nicht zu sehr zu beeinträchtigen, sind die Linien 10, 12, 13 und 18 im offiziellen Netzplan nicht eingezeichnet.
Ein langjähriges Charakteristikum der Bielefelder Stadtbahn war der abends und Sonntag morgens durchgeführte Anschlussverkehr im Halbstundentakt: Durch den langen Bahnsteig am zentralen unterirdischen Knotenpunkt Jahnplatz konnten dort die Linien 1 bis 3 in beiden Richtungen jeweils einige Minuten hintereinander stehen und Anschlüsse in alle Richtungen vermitteln. Die Linie 4 kam als im Zentrum endende Linie jeweils kurz vor den anderen

_ Operation

During daytime hours, the network is served by lines 1, 2, 3 and 4. The three cross-city lines, 1-3, operate every 10 minutes from Monday to Saturday, and every 15 minutes on Sundays. The radial line 4 provides a 5-minute headway in morning and afternoon peak hours during term time. There are several extra peak-hour trains on lines 1 and 3. In the evening, lines 1, 3 and 4 run every 15 minutes, and line 2 every 30 minutes. There are several special lines with 2-digit numbers, which operate only at certain times: line 10 is a late evening service running on line 4 and the southern line 3, while lines 3 and 4 also operate half-hourly, thus maintaining a 15-minute headway on both stretches. The line numbers 12, 13 and 18 are used for trams starting from

Linien an bzw. fuhr kurz danach ab. Mit der Ausweitung des Viertelstundentaktes sowie zur Ermöglichung von Doppeltraktionen zu allen Verkehrszeiten wurde der Anschlussverkehr Ende 2003 aufgegeben.
Betrieben wird die Stadtbahn von moBiel, einer Tochter der Stadtwerke Bielefeld.

_ Straßenbahnentwicklung
Das Bielefelder Stadtbahnnetz wurde in bemerkenswerter Weise aus dem Straßenbahnnetz heraus entwickelt: Bis heute wurde noch nie eine Straßenbahnlinie stillgelegt. Eine gewisse Verringerung der Netzdichte musste lediglich die Innenstadt erfahren, in der ursprünglich alle Linien weitgehend eigenständige Strecken befuhren, im Laufe der Zeit aber auf die heutige gemeinsame Stammstrecke gebündelt wurden.
Als erste Strecke wurde 1900/01 die bis heute als Linie 1 nummerierte Verbindung zwischen Schildesche und Brackwede in Betrieb genommen. Die Straßenbahn war von Beginn an elektrisch, Vorläufer-Pferdebahnen gab es nicht. Bis in die zwanziger Jahre folgten die Linien 2 und 3, die Linie 4 ist dagegen ein Kind des Stadtbahnbaus, auch wenn in den dreißiger Jahren mit dem Bau einer Strecke im Bereich der Rudolf-Oetker-Halle begonnen worden war. Bereits 1901 kam neben der Straßenbahn die ebenfalls meterspurige Bielefelder Kreisbahn hinzu, welche zwei dampfbetriebene Kleinbahnstrecken vom Stadtzentrum über Schildesche nach Werther und Enger mit Anschluss an die Herforder Kleinbahn eröffnete. Die Bielefelder Kreisbahn wurde 1956 stillgelegt, ein Teil ihrer Trasse konnte später von der Straßenbahn übernommen werden.
Am 26.09.1955 wurde ein Grundsatzbeschluss zur Beibehaltung der Straßenbahn getroffen. Anschließend begann ein sukzessiver Netzausbau, der sowohl die Modernisierung bestehender Abschnitte als auch den Bau von Verlängerungen in den Außenbereichen umfasste. Erste Streckenergänzungen gingen bereits Ende der fünfziger Jahre in Betrieb.

_ Stadtbahnkonzept
1965 wurde der Grundsatzbeschluss zur Beibehaltung der Straßenbahn von 1955 wegen stark gestiegenen Autoverkehrs noch einmal ernsthaft in Frage gestellt. Ein daraufhin eingeholtes Gutachten plädierte jedoch gegen eine Stilllegung der Straßenbahn und stattdessen für einen schnellbahngerechten Ausbau mit unterirdischer Streckenführung im Stadtzentrum.
Im selben Zeitraum begannen die vom Land Nordrhein-Westfalen forcierten Rahmenplanungen für den Aufbau kreuzungsfreier Schnellbahnnetze im Ruhrgebiet sowie in der Region Köln/Bonn. Letztendlich beschloss das Land, auch Bielefeld als dritte förderfähige Stadtbahnregion anzuerkennen. Damit verbunden war aber auch die Pflicht zur Übernahme der vom Land vorgegebenen verbindlichen Stadtbahn-Planungsparameter, also der Einsatz normalspuriger, 2,65 m breiter Fahrzeuge auf kreuzungsfreier Trasse mit Stromschiene. Daraufhin entschied sich Bielefeld 1970 grundsätzlich zum sukzessiven Ausbau des Straßenbahnnetzes gemäß dieser Zielvorstellung.
Erste Planungen zum zukünftigen Schnellbahnnetz aus den späten sechziger Jahren gingen von zwei zueinander unabhängigen Achsen mit dem Kreuzungspunkt Hauptbahnhof aus:

1) Schildesche/Dornberg – Hauptbahnhof – Sieker – Stieghorst – Hillegossen – Asemissen
2) (Brake –) Milse – Hauptbahnhof – Brackwede – Sennestadt

Die später konkretisierte Stadtbahnplanung änderte diesen Entwurf dann zu einer innerstädtischen unterirdischen Stammstrecke zwischen Hauptbahnhof und Rathaus ab. Die

August-Bebel-Straße > Landgericht

or returning to the Sieker depot. These special lines are not shown on network maps.
For many years, all lines met at Jahnplatz every 30 minutes in the evenings and on Sunday mornings, thus providing easy transfer in all directions. This was possible as the long platform at Jahnplatz allows three single-unit trams to stop simultaneously. Line 4, which terminates in the city centre, used to arrive a few minutes earlier and depart a few minutes later. This special arrangement was terminated in late 2003, when the 15-minute headway was extended to several branches, and the use of 2-unit trams also became more common in the evenings.
The Bielefeld Stadtbahn is operated by moBiel, a subsidiary of the municipal 'Stadtwerke Bielefeld'.

_ *The Evolution of the Tram Network*
The present Stadtbahn network was developed from the existing tram network. In Bielefeld, none of the tram routes has ever been abandoned, except for the city centre, where each line originally had its own route, all of which were later bundled together into one trunk route.
The first tram line to open in Bielefeld was line 1 in 1900/01 from Schildesche to Brackwede. Bielefeld never had horse-drawn trams, so electric traction was used from the start instead. Lines 2 and 3 were built in the following two decades, whereas line 4 has only recently been added as a Stadtbahn line, although construction of a line to the western suburbs had begun in the 1930s. In 1901, the 'Bielefelder Kreisbahn', a metre-gauge steam-driven secondary railway, was opened between the city centre and Werther and Enger via Schildesche. This railway was linked to the 'Herforder Kleinbahn'. The 'Kreisbahn' was abandoned in 1956, and a short section of its alignment was later taken over by the tramway.
On 26 September 1955 a decision of general principle was taken to maintain the tram network. As a result, the network was modernised and some extensions to the existing lines were opened during the late 1950s.

_ *The Stadtbahn Concept*
In 1965, the 1955 decision to maintain the tram network was seriously questioned as car traffic had in the meantime increased significantly. But finally, an expert report recommended both the upgrading of the system and the building of future extensions in a metro-like fashion, with underground routes through the city centre. At the same time grade-separated metro networks were being planned for the Rhine-Ruhr Area and the Cologne/Bonn conurbation. Eventually, the state of North-Rhine - Westphalia decided to include Bielefeld in this ambitious project. This decision

nördlichen Außenäste nach Schildesche, Dornberg und Milse sowie die südlichen nach Sennestadt und Asemissen flossen unverändert in die weitere Planung ein. Höchste Priorität wurde fortan der neu definierten Stadtbahnstrecke 1 von Dornberg nach Sennestadt zugemessen. Hinter dem Ast nach Dornberg verbirgt sich dabei die heute über die Universität nach Lohmannshof geführte Linie 4 in den Bielefelder Westen. Erste Planungen für eine Strecke in diesen Bereich gab es schon vor dem ersten Weltkrieg, mit der Gründung der Universität im Jahre 1969 wurden sie wieder aktuell.
Im Vorgriff auf die zeitweise ernsthaft verfolgte Umspurung erhielten zwischenzeitlich mehrere Streckenabschnitte Meterspurgleise auf breiten Normalspurschwellen mit Befestigungsmöglichkeit für eine dritte Schiene. Letztendlich wurde die Meterspur aber bis heute beibehalten. Derzeit gilt eine Umspurung nur noch als theoretische Option für die ferne Zukunft, für die keine weiteren Vorleistungen mehr erbracht werden. Bei Umbauten werden die Gleisabstände allerdings für 2,65 m breite Fahrzeuge vorbereitet.

_ Stadtbahnbau
Die erste stadtbahngerechte Strecke wurde bereits vor der Erstellung der Stadtbahnplanung auf dem nördlichen Ast der Linie 1 nach Schildesche in Betrieb genommen. Hier konnte 1968 die vorher weiter östlich im Straßenraum verlaufende Straßenbahn ab Kattenkamp auf den nicht mehr benötigten Bahnkörper der Kreisbahn verlegt werden. Die Strecke ist bis auf die Endschleife kreuzungsfrei ausgebaut. 1969 wurde als nächstes die Linie 2 von der heutigen Haltestelle Schüco über eine unabhängig trassierte Strecke mit Bahnübergängen bis Baumheide verlängert.
Der erste unterirdische Abschnitt mit der Station Beckhausstraße ging 1971 in Betrieb. Auch hier datiert die Planung aus der Zeit vor dem Stadtbahnkonzept. Ziel des Tunnelbaus zunächst als singuläre Maßnahme für die Linie 2 war die Ausfädelung aus der stark befahrenen B61 sowie die Unterquerung einer Kreuzung. Nach Baubeginn am 01.07.1967 wurde die unterirdische Haltestelle während der Bauphase gemäß der Stadtbahnrichtlinien umgeplant und dabei die Bahnsteige von ursprünglich 85 auf 110 m verlängert, jedoch nicht auf voller Länge ausgebaut.
Nach der Eröffnung dieser Tunnelstrecke kam der Tunnelbau aus finanziellen Gründen zunächst wieder zum Erliegen. Stattdessen konnten aber wiederum zwei oberirdische stadtbahngerecht ausgebaute Strecken mit unabhängigem Bahnkörper in Betrieb genommen werden: 1978 die weitere völlig kreuzungsfreie Verlängerung der Linie 2 im Norden von Baumheide nach Milse und 1979 die Neutrassierung der Linie 1 im Süden von Rosenhöhe bis Senne. Dazu kam 1980 die kurze Verlängerung der Linie 3 im Norden von Voltmann-

Seidenstickerstraße > Schüco

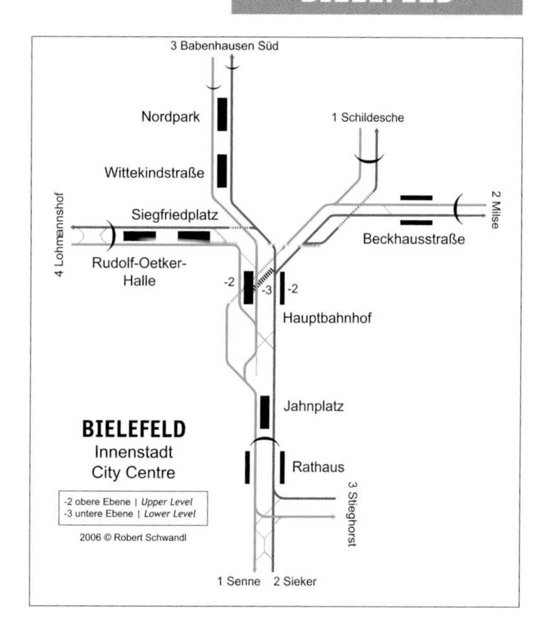

implied that Bielefeld had to apply the general Stadtbahn guidelines, i.e. the use of standard-gauge 2.65 m wide cars with current supply via third rail, and totally grade-separated routes. In 1970, the city council decided to follow these guidelines and upgrade the existing tram network to full metro operation. The early projects developed during the late 1960s included two separate routes intersecting at Hauptbahnhof:
1) Schildesche/Dornberg - Hauptbahnhof - Sieker - Stieghorst - Hillegossen - Asemissen
2) (Brake -) Milse - Hauptbahnhof - Brackwede - Sennestadt
This project was later modified, and a shared trunk route between Hauptbahnhof and Rathaus was planned instead. Plans for the northern routes to Schildesche, Dornberg and Milse, as well as the southern routes to Sennestadt and Asemissen remained unchanged. Route 1 from Dornberg to Sennestadt was given the highest priority. The branch to Dornberg was later realised as today's line 4 to Lohmannshof. The first plans to build a line to this area date from the years prior to World War I, but only when the University was founded in 1969 did a link become more urgent.
The regauging of existing metre-gauge routes was taken seriously for some time, and standard-gauge sleepers were laid along certain sections in order to add a third rail. Finally, the metre gauge was maintained and regauging is now only a long-term option. In the future, however, 2.65 m wide vehicles will be ordered.

_ Stadtbahn Construction
The first Stadtbahn-like section on the northern part of line 1 to Schildesche had already opened when the Stadtbahn guidelines were finally approved. In 1968, the previously on-street tram line from Kattenkamp to Schildesche was rerouted along the abandoned 'Kreisbahn' alignment. Except for the terminus, there are no level crossings. In 1969, line 2 was extended from the present Schüco stop to Baumheide on a separate right-of-way with some level crossings.
The first underground section, which included Beckhausstraße station, opened in 1971. This isolated project was realised to allow line 2 to branch off from the busy road B61 and avoid a major road junction. Although the construc-

straße zum neuen Verknüpfungspunkt Babenhausen Süd mit dem als Vorleistung gebauten ersten Hochbahnsteig des Netzes zuzüglich zu provisorischen Tiefbahnsteigen. Im Vergleich zu den meisten Ruhrgebietsstädten ging Bielefeld damit genau den umgekehrten Weg: Erstere konzentrierten sich zunächst auf den Bau von Stadtbahntunneln in den Innenstädten und stellten die Außenstrecken meist zurück bzw. legten teilweise sogar in größerem Maße vorhandene Straßenbahnstrecken still. Bielefeld schaffte es dagegen, dem erst später fertig gestellten Innenstadttunnel vorab eine hervorragende Auslastung durch gut ausgebaute Zulaufstrecken zu verschaffen.
Zwischenzeitlich war am 08.09.1977 auch der Tunnelbau wieder aufgenommen worden. Die Bauarbeiten zogen sich - auch aufgrund von Planungsänderungen - allerdings bis 1991 hin. Dafür konnte dann auf einen Schlag der komplette nördliche zentrale Teil des geplanten Stadtbahnnetzes fertig gestellt werden, welches seitdem auch offiziell so und nicht mehr als Straßenbahnnetz bezeichnet wird. Bestandteile davon waren der Innenstadttunnel mit den unterirdischen Stationen Hauptbahnhof und Jahnplatz, im Süden eine Rampe zur oberirdischen Haltestelle Rathaus und im Norden ein Anschluss an den bestehenden Tunnel der Linie 2, eine Rampe für die Linie 1 Richtung Schildesche sowie ein Anschlusstunnel für die Linie 3 Richtung Babenhausen Süd. Letzterer erhielt zwei weitere unterirdische Stationen Wittekindstraße und Nordpark. Die Bahnsteiglängen in den Tunnelstationen konnten gegenüber der älteren Station Beckhausstraße auf 75 m (außer Jahnplatz - 90 m) gekürzt werden. Mit dem Tunnelbau wurde eine Zusammenfassung aller drei Linien am Hauptbahnhof erzielt, welcher vorher von der Linie 3 nicht berührt wurde. Außerdem erreichte man eine gegenüber dem Straßenverkehr störungsfreie Unterquerung der ausgedehnten Eisenbahnanlagen nördlich des Hauptbahnhofs und gleichzeitig eine schnelle Anbindung der nördlichen Streckenäste an die Innenstadt.
An den für die Linie 3 gebauten Anschlusstunnel sollte gemäß der Entwurfsplanung für das Stadtbahnnetz eigentlich die Linie 1 anschließen. Sie hätte dann nördlich der Tunnelstation Nordpark Richtung Osten nach Schildesche verschwenkt und die Strecke nach Babenhausen Süd eingestellt werden müssen. Bemerkenswert ist außerdem die Rampe zur oberirdischen Strecke der Linie 3 nach Babenhausen Süd. Diese wurde wegen beengter Straßenquerschnitte in zwei hintereinander liegende eingleisige Bauwerke aufgeteilt.
Am Hauptbahnhof führte die nördlich anschließende Verzweigung der Linien 1 bis 3 sowie der bereits mitberücksichtigten späteren Strecke Richtung Lohmannshof zu einem äußerst komplexen Bauwerk. Ziel war es, diese Verzweigung möglichst leistungsfähig zu gestalten und parallele Einfahrten von den nördlichen Strecken kommend zu ermöglichen. Dafür wurde eine viergleisige unterirdische Station in zwei Ebenen gebaut. Alle Linien stadtauswärts befahren dabei dasselbe Gleis mit Seitenbahnsteig auf der Ostseite der oberen Ebene. Für die stadteinwärtigen Linien stehen dagegen drei Gleise zur Verfügung, davon zwei mit Mittelbahnsteig in der oberen und eines mit Seitenbahnsteig in der unteren Ebene. Dadurch gibt es separate Einfahrmöglichkeiten aus Lohmannshof sowie Babenhausen Süd in der oberen und aus Schildesche/Milse in der unteren Ebene. Die untere Ebene liegt dabei diagonal unter den anderen Gleisen und verfügt über direkte Treppenverbindungen zu beiden Bahnsteigen der oberen Ebene. Das Bahnsteiggleis aus Richtung Lohmannshof wurde zunächst noch nicht benutzt. Dass nicht vier Einfahrgleise gebaut wurden, erklärt sich wiederum dadurch, dass die Strecke aus Schildesche eigentlich über den Tunnel der Linie 3 eingeführt werden sollte, womit es dann eben nur drei zulau-

Hauptbahnhof

tion of the tunnel had already begun on 1 July 1967, the project was later modified to meet Stadtbahn criteria. Platforms were built with a length of 110 m instead of the planned 85 m, although they were not fitted out along the whole length.
Once this initial tunnel section had opened, the construction of more underground routes was suspended due to a lack of funds. Instead, two surface routes on a separate right-of-way were brought into service: a line 2 extension from Baumheide to Milse in 1978, and a rebuilt route on line 1 from Rosenhöhe to Senne in 1979. In 1980, a short line 3 extension was added from Voltmannstraße to Babenhausen Süd, where besides temporary low platforms the first high platforms were built in Bielefeld. Whereas the cities in the Rhine-Ruhr Area concentrated on inner-city tunnels, and simultaneously abandoned certain tram routes, Bielefeld did the opposite: outer routes were upgraded before the inner-city tunnel had been completed.
Tunnel construction was resumed on 8 September 1977 but lasted until 28 April 1991, when the largest part of the central underground network was opened. From that day, the system was officially referred to as the 'Stadtbahn'. The new section included the underground stations Hauptbahnhof and Jahnplatz, as well as a ramp and the central surface stop Rathaus. At the northern side, the existing tunnel on line 2 was linked to the new system, a separate ramp was built for line 1 to Schildesche, and a longer tunnel with two underground stations was opened for line 3. Except for Jahnplatz, which has 90 m long platforms, tunnel stations were built with only 75 m platforms. The new tunnels allowed all lines to serve the Central Station, which had previously not been linked by line 3, and provided a fast link to the northern districts, which are separated from the city centre by the extensive railway tracks. The line 3 branch was initially planned to connect the northern part of line 1 by building a curve from Nordpark station to the Schildesche route. Because of the limited road profile, line 3 emerges from the tunnel on two separate ramps located one behind the other.
At Hauptbahnhof, the junction for lines 1-3 as well as the future branch to Lohmannshof demanded a very complex station layout. To allow simultaneous arrivals from the northern branches, an underground station with 4 tracks on two different levels was built. Outbound trains on all lines use the same track on the upper level. For inbound trains, however, there are three different tracks: two on the upper level, with an island platform for trains from Lohmannshof and Babenhausen Süd, and one lying diagonally on the lower level for trains from Schildesche and Milse. The lower level is linked by stairs to both platforms on the upper level. The track for trains from Lohmannshof remained unused for sev-

fende Strecken mit jeweils eigenen Gleisen und Bahnsteigen gegeben hätte. Alle Verzweigungen sind kreuzungsfrei.
Kurz vor Eröffnung des Innenstadttunnels startete ein in bemerkenswert kurzer Zeit umgesetztes Bauprogramm zur Ausstattung nahezu aller Haltestellen im Zuge der vorhandenen Streckenabschnitte auf besonderen oder unabhängigen Bahnkörpern mit 86 cm hohen Bahnsteigen. Dabei kam ein einheitliches Gestaltungskonzept zur Anwendung. Als erste oberirdische Haltestellen im Bestandsnetz mit Hochbahnsteig abgesehen von Babenhausen Süd wurden 1989 Bethel und Friedrich-List-Straße fertig gestellt. 1991 waren bereits 21 Haltestellen umgebaut, 6 weitere folgten sukzessive bis 1998. Auf den Strecken auf besonderem Bahnkörper in Straßenmittellage finden sich ausschließlich Mittelbahnsteige, auf den unabhängigen Strecken dominieren dagegen Seitenbahnsteige. Dagegen muss im Zuge der straßenbündig verlaufenden Streckenabschnitte bislang noch fast ausschließlich vom Straßenniveau aus über Stufen eingestiegen werden. Anfang der neunziger Jahre wurde parallel zum Hochbahnsteigbau außerdem ein umfangreiches Beschleunigungsprogramm durchgeführt, welches der Stadtbahn an den Ampelanlagen Vorrang verschaffte.
1995/96 verlängerte man in zwei Bauabschnitten die Linie 3 im Süden von Sieker Mitte über Elpke bis Stieghorst. Bei dieser Strecke handelt es sich um einen Teilabschnitt der geplanten Stadtbahnstrecke nach Asemissen. Zwischen Sieker Mitte und Elpke liegt die Trasse völlig kreuzungsfrei im Einschnitt. Eine vorausschauende Bauleitplanung hatte hier den Bau der Stadtbahn genau in der Siedlungsachse ermöglicht. Der Schlussabschnitt besitzt einige Bahnübergänge und wurde in eine Parkanlage eingebettet.
2000 kam schließlich nach Baubeginn im Jahre 1995 auch die lange geplante Linie 4 zur Erschließung der Universität dazu. Zunächst stand wegen Einsprüchen im Planungsverfahren und daraufhin veränderter Linienführung nur eine provisorische Endstelle Universität zur Verfügung. 2001 konnte die Strecke dann zur endgültigen Station Universität und 2002 darüber hinaus bis Lohmannshof verlängert werden. Daraufhin entwickelte sich die Linie 4 mit heute rund 30.000 Fahrgästen pro Tag zur nachfragestärksten Bielefelder Stadtbahnlinie, obwohl sie als einzige Linie im Zentrum endet und damit nur eine Außenstrecke besitzt. Im hinteren Bereich der Strecke wird auf die Lage der Stadtbahn abgestimmt derzeit neues Bauland erschlossen, so dass sich die Bedeutung der Linie 4 in Zukunft noch steigern wird. Vollständig stadtbahngerecht ausgebaut schließt die Strecke an die vorgeleistete Verzweigung mit eigenem Einfahrgleis am Hauptbahnhof an und bedient zunächst im Zuge eines 1,9 km langen Tunnelabschnitts die beiden unterirdischen Stationen Siegfriedplatz und Rudolf-Oetker-Halle. Der Tunnel wurde bergmännisch in der Neuen Österreichischen Tunnelbauweise erstellt. Anschließend verläuft die Strecke oberirdisch auf eigenem Bahnkörper, jedoch nicht kreuzungsfrei, weiter. In der Rampe liegt zwischen den Streckengleisen ein beidseitig anfahrbares Abstellgleis, um dort bei Veranstaltungen in der Rudolf-Oetker-Halle oder im nahen Stadion Einsatzwagen kehren lassen zu können. Die Universität erhielt eine ihrer Bedeutung gerechte großzügig ausgebaute Haltestelle. An der Endhaltestelle Lohmannshof wurde eine Schleife gebaut, hier kann direkt am Bahnsteig in Zubringerbuslinien umgestiegen werden. Alle oberirdischen Haltestellen haben mindestens 68 m, die Tunnelstationen 75 m lange Bahnsteige. Vom Profil her würde aber auch die neueste Bielefelder Tunnelstrecke einen Normalspurstadtbahnbetrieb mit 2,65 m breiten Fahrzeugen erlauben.

eral years. As line 1 was supposed to be linked to the line 3 tunnel, no separate track was built for it. All junctions are totally grade-separated.
Before the central tunnel system opened, most of the existing surface stops on separate right-of-way had been equipped with 86 cm high platforms, all with an identical design. Besides Babenhausen Süd, the first high platforms were built in 1989 at Bethel and Friedrich-List-Straße. By 1991, 21 stops had already been upgraded, and another six followed by 1998. Island platforms were built where the route runs along the middle strip of the road, whereas side platforms dominate on totally segregated sections. Along street-running sections no platforms are available yet, so boarding is done from street level. During the early 1990s, a scheme was carried out to reduce journey times by giving Stadtbahn trains priority at traffic lights.
From 1995 to 1996, line 3 was extended in two stages from Sieker Mitte to Elpke and Stieghorst. This route is part of the planned route to Asemissen. Between Sieker Mitte and Elpke the route runs in a cutting, being totally grade-separated. The southern section to Stieghorst has several level crossings and runs through a park.
With construction having begun in 1995, the long-planned line to the University opened in 2000. Due to objections to the chosen alignment a temporary stop was employed at the University until 2001, when a permanent station opened. One year later, the line was extended to its current terminus Lohmannshof. Despite terminating in the city centre, line 4 quickly became the network's busiest line with some 30,000 passengers a day. Along the outer section of the line new housing developments are being carried out, which will make the line even more important in the future. The entire line 4 has Stadtbahn standard. A 1.9 km tunnel was excavated with the New Austrian Tunnelling Method (NATM) and linked to the existing junction at Hauptbahnhof. There are two underground stations, Siegfriedplatz and Rudolf-Oetker-Halle. The surface section has its own right-of-way, although with several level crossings. On the ramp there is a centre siding accessible from both sides used for reversing during special events at the Rudolf-Oetker-Halle, an indoor arena, or the nearby stadium. At the University, a larger non-standard station was built to cope with high passenger numbers. Adjacent to the terminus Lohmannshof a reversing loop was built. Feeder buses stop right next to the Stadtbahn platforms. All surface stops have platforms with a minimum length of 68 m, while platforms in the underground stations were limited to 75 m. The profile of the newest tunnel will allow the future use of 2.65 m wide standard-gauge vehicles.

Sieker: Betriebshof | *Depot* CG

_ Ausblick

Mit der Strecke zur Universität ist der Tunnelbau in Bielefeld vorerst abgeschlossen. Bestrebungen zur Erweiterung des Innenstadttunnels in südliche Richtung gibt es derzeit nicht. Geplant war ursprünglich ein Tunnel zwischen Rathaus und Sieker, der etwa in der Mitte zwischen den beiden heutigen Straßenbahnlinien 2 und 3 verlaufen sollte. In Sieker hätte man dann an die 1995/96 eröffnete Außenstrecke nach Stieghorst anschließen können. Außerdem war ab Rathaus ein unterirdischer Anschluss der Strecke nach Brackwede geplant.

Weiterhin verfolgt wird der Ausbau der Stadtbahn in den Außenbereichen. Neben den noch fehlenden äußeren Streckenabschnitten der Stadtbahnplanung nach Dornberg, Sennestadt und Asemissen kamen dabei im Laufe der Zeit weitere Planungen hinzu. In den letzten Jahren wurden folgende denkbare Streckenverlängerungen diskutiert:

- Linie 1-Nord: Schildesche – Auf der Feldbrede
- Linie 2-Nord: Milse – Milse Ost
- Linie 3-Nord: Babenhausen Süd – Theesen – Jöllenbeck
- Linie 4-Nord: Lohmannshof – Großdornberg
- Linie 1-Süd: Senne – Sennestadt
- Linie 3-Süd: Stieghorst – Hillegossen (– Asemissen)
- Linie 4-Süd: Brackwede – Ummeln oder Brackwede – Brackwede-Süd
- neue Linie Jahnplatz bzw. Rathaus – Heepen – Oldentrup

Derzeit befinden sich die Verlängerungen nach Milse Ost und nach Theesen in konkreter Planung. Unabhängig von den potenziellen Neubaustrecken wird angestrebt, in Zukunft die Linie 4 über die Gleise der Linie 1 in den Raum Brackwede weiter zu führen, wofür einige Hochbahnsteige verlängert werden müssen.

Aus gestalterischen, räumlichen oder politischen Gründen geht man bislang davon aus, dass auch langfristig an einigen wenigen Haltestellen keine Hochbahnsteige gebaut werden können. Fest eingeplant ist in den kommenden Jahren die komplette Erneuerung der südlichen Linie 2 nach Sieker. Hier sollen die Gleise zwar im Straßenpflaster verbleiben, einige Stationen aber Hochbahnsteige erhalten. Komplett durchgeplant ist außerdem ein Umbau der Endstation Milse als erster Teil der geplanten Streckenverlängerung nach Milse Ost, hier soll die Endschleife ohne Hochbahnsteig durch eine zeitgemäße Anlage mit stufenfreiem Einstieg ersetzt werden.

_ Outlook

The completion of the route to the University put an end to tunnel construction in Bielefeld, although a southern extension of the inner-city tunnel had originally been planned from Rathaus to Sieker, running approximately between the present surface routes of lines 2 and 3. At Sieker, the route was to continue along the Stadtbahn route to Stieghorst opened in 1995/96. From Rathaus, another underground branch towards Brackwede was also included in the early plans.

Extensions to existing branches are still planned today. Apart from those initially envisaged towards Dornberg, Sennestadt and Asemissen, several other extensions have been proposed in recent years:

- *Line 1-North: Schildesche - Auf der Feldbrede*
- *Line 2-North: Milse - Milse Ost*
- *Line 3-North: Babenhausen Süd - Theesen - Jöllenbeck*
- *Line 4-North: Lohmannshof - Großdornberg*
- *Line 1-South: Senne - Sennestadt*
- *Line 3-South: Stieghorst - Hillegossen (- Asemissen)*
- *Line 4-South: Brackwede - Ummeln or Brackwede - Brackwede-Süd*
- *new line: Jahnplatz/Rathaus - Heepen - Oldertrup*

The extensions to Milse Ost and Theesen are the most advanced projects. Besides these new routes, line 4 is planned to be extended over the existing line 1 tracks to the Brackwede area, but the shorter platforms on this route have so far prevented this to take place.

Whether for aesthetic or political reasons or just because of a lack of space, the construction of high platforms is not possible at some stops. The upgrading of line 2 to Sieker is planned for the near future, and although the tracks will remain embedded in the roadway, some stops will be equipped with high platforms. The Milse terminus will also be rebuilt with high platforms, and the present loop will be given up to allow for a future extension to Milse Ost.

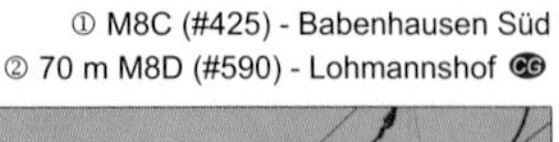
① M8C (#425) - Babenhausen Süd
② 70 m M8D (#590) - Lohmannshof

_ Fahrzeuge

moBiel verfügt über einen einheitlichen Fuhrpark aus M-Wagen zweier technischer Generationen sowie zugehörigen Beiwagen. Alle älteren Straßenbahnwagen konnten bereits vor Eröffnung des Innenstadttunnels bis 1991 ausgemustert werden. Die meisten derartigen Fahrzeuge wurden nach Innsbruck, Lodz und Mannheim (OEG) abgegeben.
Als Übergangsfahrzeug zwischen Straßenbahn- und zwischenzeitlich geplantem Stadtbahnbetrieb auf Normalspur erhielt Bielefeld 1976 zunächst vier achtachsige Wagen vom Typ M8S, 2,30 m breit und etwa 26 m lang. Diese entsprachen den im selben Zeitraum in Essen in Betrieb genommenen Fahrzeugen und hatten keine Klapptrittstufen. Nachdem später die Entscheidung zur Realisierung des Hochflurbetriebes in Form der Meterspur-Stadtbahn getroffen wurde, hätten die Wagen nach der Eröffnung des Innenstadttunnels mit Hochbahnsteigen nicht mehr eingesetzt werden können. Sie wurden daher 1987 nach Mainz verkauft.
Zwischenzeitlich hatte Bielefeld weitere M-Wagen erhalten, welche analog zu der Essener Wagenserie für die dortige Südstrecke nach Bredeney Klapptrittstufen zur Bedienung sowohl von Hochbahnsteigen als auch von Haltestellen ohne Bahnsteig besitzen. Die 44 älteren Wagen vom Typ M8C wurden zwischen 1982 und 1987 geliefert, die 36 neueren Wagen vom Typ M8D zwischen 1994 und 1999. Letztere besitzen nur einen Führerstand. Ebenfalls 1999 stellte man fünf Beiwagen MB4 in den Bestand ein. Da die Bielefelder Stadtbahn im Zweirichtungsbetrieb betrieben wird, fahren die M8D stets als Doppeltraktion oder zusammen mit einem Beiwagen in der Mitte als Dreifacheinheit. Eine Zugkonfiguration M8D-MB4-M8D misst rund 70 m und nutzt damit die zulässige Länge für oberirdische Stadtbahnen im Straßenraum fast vollständig aus. Praktiziert wird dies auf der stark belasteten Linie 4. Auf den drei anderen Linien erlauben die Bahnsteiglängen rund 55 m lange Doppeltraktionen, welche im Regelverkehr auch zum Einsatz kommen. Seit der Aufgabe des Anschlussverkehrs am Jahnplatz können Doppeltraktionen bei Bedarf auch in den Schwachlastzeiten fahren.
Seit 1977 sind alle Wagen im Betriebshof Sieker beheimatet, der sich unweit der Endhaltestelle Sieker der Linie 2 befindet und über eine kurze Betriebsstrecke auch von der Linie 3 aus erreichbar ist.

_ *Rolling Stock*

The Bielefeld Stadtbahn is operated with a fleet of M-cars of two different series, complemented by trailer cars. Older vehicles had been withdrawn by 1991, in time for the opening of the central tunnel sections; most of these cars were transferred to Innsbruck in Austria, Lodz in Poland, and Mannheim (OEG).
In 1976, Bielefeld acquired four 8-axle M8S cars, identical to those delivered to Essen at the same time. They were 2.3 m wide and 26 m long, and had no folding steps; they were meant to serve for a transitional period until the completion of the planned standard-gauge Stadtbahn network. However, the decision in favour of a metre-gauge high-floor Stadtbahn network meant that these cars were not able to operate through the tunnel, where only high platforms had been built. In 1987, these cars were sold to Mainz.
In the meantime, Bielefeld had ordered more M-cars identical to those on the Bredeney route in Essen, now with folding steps allowing boarding from high platforms as well as from street level. The first generation of these vehicles, the 44 cars of class M8C, were delivered between 1982 and 1987. The second generation, 36 cars of class M8D, followed between 1994 and 1999. These have a driver's cabin at only one end. In 1999, five trailers were added to the fleet. As the Bielefeld Stadtbahn is operated bi-directionally, the M8D cars always operate either in pairs, or as triple units with a trailer in the middle. A trainset made of M8D-MB4-M8D is approximately 70 m long and thus close to the maximum permitted length for tram operation on street-running sections. Triple units can be found on the busy Line 4. On other lines, platform lengths only allow 55 m double units, which is the standard type of trainset in Bielefeld.
Since 1977, all cars have been stabled at the depot at Sieker, located adjacent to the Line 2 terminus and also accessible from Line 3.

① M8D ② M8D Klapptrittstufen|*Folding Steps* ③ M8C

Wagennummer *Car Number*	Anzahl *Quantity*	Typ *Class*	Baujahr *Year*	Hersteller *Manufacturer*	Bemerkungen *Notes*
501-504	4	M8S	1976	DUEWAG	1987 > Mainz
511-515	5	MB4	1999	DUEWAG	Beiwagen/Trailers
516-529	14	M8C	1982	DUEWAG	517-520 x
530-539	10	M8C	1983	DUEWAG	
540-546	7	M8C	1986	DUEWAG	
547-559	13	M8C	1987	DUEWAG	
560-573	14	M8D	1994	DUEWAG	
574-579	6	M8D	1995	DUEWAG	
580-592	13	M8D	1998	DUEWAG	x = ausgemustert
593-595	3	M8D	1999	DUEWAG	x = *out of service*

Table title: **Wagenpark** / *Rolling Stock*

Am **Rathaus** erreicht der Innenstadttunnel wieder das Tageslicht. Die am oberen Ende der Rampe gelegene Station ist auf der Seite des Tunnels kreuzungsfrei. Unmittelbar südlich befindet sich ein mittig liegendes Kehrgleis für die Linie 4.
Unter dem **Jahnplatz** liegt die zentrale U-Bahn-Station Bielefelds. Die Gleisebene besteht aus einem Dreifach-Gewölbe mit zwei Säulenreihen und außen liegenden Gleisen. Es gibt zwei Verteilergeschosse, in einem befindet sich das Kundenzentrum von moBiel. Lange Jahre fand am Jahnplatz in den Schwachlastzeiten ein Stadtbahn-Anschlussverkehr im Halbstundentakt statt, denn der 90 m lange Mittelbahnsteig erlaubt den Halt von drei Einzelzügen hintereinander.

The southern portal of the inner-city tunnel lies just north of the ***Rathaus*** *stop, which does not have a pedestrian crossing at the side of the tunnel mouth. Just to the south of the stop, there is a centre siding used by line 4 for reversing.*
The underground station ***Jahnplatz*** *lies right in the heart of the city. The platform level is actually made of three tunnels separated by two rows of columns supporting a vaulted ceiling. There is a mezzanine at each end, one of which houses the moBiel information centre. For many years, the 90 m island platform was used by three single units to line up in a row, thus providing perfect interchange between different lines during late-evening service.*

① Rathaus
②-④ Jahnplatz

①

②

Am **Hauptbahnhof** werden die vier von Norden kommenden Außenstrecken unterirdisch in einem komplizierten Bauwerk kreuzungsfrei zusammengeführt. Die U-Bahn-Station Hauptbahnhof, die nicht direkt mit dem DB-Bahnhof verbunden ist, besitzt einen elegant überdachten Eingangsbereich, eine Fußgängerzwischenebene sowie zwei Bahnsteigebenen mit insgesamt vier Gleisen. In der oberen Bahnsteigebene liegen ein Gleis für stadtauswärts fahrende Züge aller Linien sowie zwei separate Einfahrgleise mit Mittelbahnsteig für die stadteinwärts fahrenden Linien 3 und 4. Die stadteinwärts fahrenden Linien 1 und 2 halten dagegen gemeinsam auf der eingleisigen unteren Ebene.

①-⑤ Hauptbahnhof
③ obere Ebene | *upper level*
④ untere Ebene | *lower level*
① RS

③

*At **Hauptbahnhof**, the four northern routes converge in a complicated grade-separated junction. The underground station, which is not directly linked to the railway station, has an elegant entrance roof, a spacious mezzanine and two platform levels with four tracks. On the upper level, one track is used by all lines in an outbound direction, and two tracks with an island platform are reserved for the inbound lines 3 and 4. Lines 1 and 2 share the same track on the lower level.*

④

⑤

Die Linie 4 erhielt im Anschluss an den Innenstadttunnel zwei weitere U-Bahnhöfe. **Siegfriedplatz** wurde größtenteils bergmännisch in Form einer dreischiffigen Halle mit einem 11 m breiten Mittelbahnsteig gebaut. Der mit einem Glaspavillon überdachte runde Eingangsbereich dient gleichzeitig als Lichtschacht.
Rudolf-Oetker-Halle entstand dagegen in offener Bauweise mit Bohrpfahlwänden. Die rechteckige, stützenfreie und rund 15 m hohe Halle mit einem 12 m breiten Mittelbahnsteig lehnt sich in ihrer Architektur an die namensgebende nahe Musikhalle von 1930 an. Durch Luken in der Decke kommt auch in diesen U-Bahnhof Tageslicht.

After leaving the shared tunnel section, line 4 passes through two underground stations on its way to the University. ***Siegfriedplatz*** *station has a similar layout to Jahnplatz, with a 3-nave platform level and an 11 m wide island platform. The round glass-covered entrance pavilion located above the central part of the platform allows daylight to come into the station.* ***Rudolf-Oetker-Halle*** *was built by the cut-and-cover method. The box shape of the 15 m high station with a 12 m wide island platform imitates the adjacent concert hall. Daylight falls into the station through skylights.*

①② Siegfriedplatz
③④ Rudolf-Oetker-Halle

Alle Haltestellen der Linie 4, auch die der beiden Tunnelstationen, haben rund 68-75 m lange Bahnsteige. Ihre hohe Bedeutung bezieht die Linie vor allem aus der **Universität**. Die dortige Haltestelle ist mit einer 130 m langen Fußgängerbrücke mit dem Campus verbunden. Von nahe gelegenen Forschungseinrichtungen gab es erhebliche Einwände gegen die ursprüngliche Trassierung direkt vor der Universität, da man befürchtete, dass die Stadtbahn deren sensible Messgeräte beeinflussen könnte.
An der Endstation **Lohmannshof** gibt es eine zweigleisige Schleife. Zwischen den Gleisen liegt eine Straße sowie eine

① Graf-von-Stauffenberg-Straße
①② Universität
④⑤ Lohmannshof
② RS ④ CG

*The underground stations as well as surface stops on line 4 have 68-75 m long platforms. The **Universität** stop is the busiest on this route. It is linked to the University campus via a 130 m long pedestrian bridge. The proximity of nearby research centres resulted in many objections to the originally planned alignment, as the Stadtbahn might have interfered with sensitive measuring instruments.*
*At the terminus **Lohmannshof** there is a 2-track loop. A public road runs between the tracks to allow buses to stop next to the respective arrival or departure platforms.*

Wie die Linie 4 hat auch die Linie 3 im Norden zwei eigene U-Bahnhöfe. **Wittekindstraße** weist wiederum ein bergmännisch gebautes Röhrenprofil auf, **Nordpark** dagegen einen rechteckigen Querschnitt sowie einen auffällig gestalteten Zugang an der Oberfläche. Nördlich des U-Bahnhofs Nordpark hat die Linie 3 für jede Richtung eigene Tunnelportale, die wegen der beengten Straßenverhältnisse hintereinander angeordnet sind. Eine Weiterführung des Tunnels zum Anschluss der Linie 1 wird heute nicht mehr verfolgt.

*Like line 4, line 3 also has its own two exclusive underground stations on its northern branch. **Wittekindstraße** is of the tube-type, with a single island platform divided by a row of columns. **Nordpark** station, however, was built by the cut-and-cover method and boasts a box shape. Glass-covered entrance pavilions allow the sunlight to reach right down to platform level. Just north of Nordpark station, line 3 has two tunnel portals in a row, the first to enter the tunnel and the second to leave it. The further extension of this tunnel to link with the present line 1 is no longer planned.*

①② Wittekindstraße
③④ Nordpark

Die oberirdische Strecke nach Babenhausen Süd verläuft weitgehend abmarkiert im Straßenraum. Sie ging 1927/28 bis Lange Straße, 1956 bis Voltmannstraße und 1980 bis Babenhausen Süd in Betrieb. Das letzte Stück ist überaus kurz: ausgehend von der alten Endstelle wird eingleisig die Voltmannstraße gekreuzt, da auf deren Nordseite mehr Platz für eine großzügige Verknüpfungsstation war. Bislang gibt es an den Haltestellen **Lange Straße** und **Voltmannstraße** noch keine Hochbahnsteige. **Babenhausen Süd** erhielt dagegen sofort ab Eröffnung 1980 den ersten 86 cm hohen Hochbahnsteig des Netzes. Da es damals aber in Bielefeld noch keine Hochflurwagen gab, wurde auch ein provisorischer niedriger Bahnsteig gebaut, der noch heute erkennbar ist.

① Nordpark
② Auf der Hufe > Nordpark CG
③ Koblenzer Straße
④ Voltmannstraße
⑤ Babenhausen Süd

The surface route to Babenhausen Süd runs mostly on-street on a marked-off lane. The original tram route opened in 1927/28 to Lange Straße. It was extended to Voltmannstraße in 1956 and eventually to its present terminus in 1980. This last single-track extension is very short and was built to provide for a tram-to-bus interchange. ***Lange Straße*** *and* ***Voltmannstraße*** *have not yet been rebuilt with high platforms, whereas at* ***Babenhausen Süd*** *a 86 cm high platform has been available since 1980, along with a temporary low platform still visible today.*

Die Strecke nach Schildesche geht aus der ersten 1900 eröffneten Bielefelder Straßenbahnlinie von Johannesstift (damals Rettungshaus) bis Brackwede hervor. Seit über 100 Jahren verkehrt nun die Linie 1 zwischen Schildesche und Brackwede bzw. Senne. 1968 wurde der ursprünglich eingleisige nördliche Teil der Strecke ab **Kattenkamp** auf eine ehemalige Trasse der Bielefelder Kreisbahn verlegt und mit Ausnahme der Endschleife kreuzungsfrei ausgebaut. Kattenkamp besitzt bis heute eine Zwischenschleife.
Seit 1991 fährt die Stadtbahn im Anschluss an die Station **Sudbrackstraße** in den Innenstadttunnel.

*The Stadtbahn line to Schildesche is a direct successor of Bielefeld's first tram line opened in 1900 from Johannesstift (formerly Rettungshaus) to Brackwede. For more than 100 years this route has been identified as line 1 running from Schildesche to Brackwede, even though it was later extended to Senne. In 1968, the original single-track on-street route north of **Kattenkamp** was diverted onto the abandoned railway alignment of the former 'Bielefelder Kreisbahn'. This section is grade-separated except for the terminus. At Kattenkamp, a reversing loop has been maintained. Since 1991, line 1 has entered the city tunnel south of the **Sudbrackstraße** stop.*

①② Sudbrackstraße
③ Deciusstraße
④ Kattenkamp

Die Haltestelle **Heidegärten** hat zwar versetzt angeordnete Hochbahnsteige, diese sind aber bislang nicht barrierefrei zugänglich, der Bau von Rampen sollte allerdings in Zukunft möglich sein.
An der Endstation **Schildesche** wendet die Linie 1 in einer Schleife, die Zufahrt wurde mit einem Schulhof überbaut. An Hochbahnsteigen kann man, wie an vielen Endstellen in Bielefeld, direkt in anschließende Busse umsteigen.

*Staggered high platforms can be found at the **Heidegärten** stop, but these have not been made fully accessible yet, although the construction of ramps should be possible in the future.*
*At the terminus **Schildesche**, line 1 terminates in a loop. Access to the loop is via a short tunnel lying beneath a school yard. High platforms provide direct interchange with connecting buses.*

①② Heidegärten
③④ Schildesche
④ RS

Beckhausstraße war 1971 die erste unterirdische Station in Bielefeld. Sie entstand, um die Straßenbahn störungsfrei unter einem stark befahrenen Straßenknotenpunkt hinweg führen zu können. Die Rampe an der Südseite entfiel 1991 zugunsten des Anschlusses an den Innenstadttunnel. Ebenfalls 1991 wurden die ursprünglich niedrigen Bahnsteige für den Stadtbahnbetrieb angehoben und auf 75 m verkürzt. Die Station befindet sich in einfacher Tiefe mit Seitenbahnsteigen, die durch getrennte Zugänge erreichbar und nicht miteinander verbunden sind. Die geringe Bebauungsdichte macht die Haltestelle Beckhausstraße zur am wenigsten frequentierten Tunnelstation.

①-④ Beckhausstraße
⑤ Schillerstraße

*In 1971, **Beckhausstraße** became Bielefeld's first underground station. It was built to lead the trams under a busy road junction and thus avoid delays. The ramp at the southern end disappeared in 1991 when the short tunnel section was linked to the inner-city tunnel system. At the same time, the initially low platforms were raised for Stadtbahn operation, and shortened to 75 m. The station is located directly below street level, with side platforms only accessible via separate entrances. Lying in a sparsely populated area, Beckhausstraße is the least busy of all underground stations.*

Die Strecke nach Milse entstand in mehreren Schritten: 1928 bis Walkenweg, 1964 bis Karolinenstraße (heute Schüco), 1969 bis Baumheide und schließlich 1978 bis Milse.
Hinter der Haltestelle **Schüco** (benannt nach einem Fenster- und Türenhersteller) gibt es mittig ein Kehrgleis, anschließend liegt die Strecke vorortbahnähnlich und weitgehend kreuzungsfrei auf unabhängiger Trasse. Die Haltestelle **Baumheide** wurde in einen Trog gelegt und teilweise überbaut. In **Milse** gibt es eine Wendeschleife und bislang noch keine Hochbahnsteige; diese sollen in naher Zukunft in Vorbereitung für eine 1,1 km lange Streckenverlängerung nach Milse Ost errichtet werden.

The route to Milse was built in various stages: in 1928 to Walkenweg, in 1964 to Karolinenstraße (now Schüco), in 1969 to Baumheide and in 1978 to Milse.
*East of the **Schüco** stop (named after a window and door manufacturer) there is a central reversing track. From here the route continues like an interurban tramway and with only a few level crossings. The **Baumheide** stop lies in a cutting and is partly built over. At **Milse**, there is still a reversing loop without high platforms; these are planned to be built in the near future in preparation for a 1.1 km extension to Milse Ost.*

① Schüco
② Baumheide
③④ Milse

Die Strecke nach Stieghorst besteht aus zwei sehr unterschiedlichen Abschnitten. An die Stammstrecke anschließend wird zunächst eine klassische Straßenbahnstrecke im Straßenraum durchfahren. Die Bahntrasse nimmt dabei über längere Abschnitte die gesamte Straßenbreite ein, die Kurvenradien sind sehr eng. Eröffnet wurde diese 1927 bis **Oststraße** und 1963 weiter bis **Sieker Mitte**. Mit Ausnahme von Oststraße konnten auf dem vorderen Abschnitt wegen beengter Verhältnisse bislang noch keine Hochbahnsteige gebaut werden.

*The route to Stieghorst has two quite different sections. Leaving the trunk route at Rathaus, the first section is a conventional street tramway, which was opened in 1927 as far as **Oststraße** and extended to **Sieker Mitte** in 1963. Along some sections, the tram alignment occupies most of the street's width, with very tight curves. Except for Oststraße, no high platforms have been built yet on this section due to restricted space on the roadway.*

① Rathaus > August-Schroeder-Straße
② Hartlager Weg
③ Sieker Mitte
④ Luther-Kirche > Sieker Mitte

①

②

Der hintere Abschnitt von Sieker Mitte bis **Stieghorst** wurde dagegen 1995/96 gemäß des Stadtbahnkonzepts auf unabhängiger und nahezu komplett kreuzungsfreier Trasse eröffnet. Die Zwischenstationen dieser Schnellbahnstrecke besitzen hohe Seitenbahnsteige. Während man in Bielefeld an allen anderen Endpunkten Wendeschleifen findet, endet die Linie 3 stumpf an einem hohen Mittelbahnsteig. Von hier soll die Stadtbahn eines Tages nach Hillegossen verlängert werden.

③

*The outer section from Sieker Mitte to **Stieghorst** was opened in two stages between 1995 and 1996 following Stadtbahn standards. It lies on a separate right-of-way and is almost completely grade-separated. All intermediate stops have high side platforms, but the terminus has an island platform. Stieghorst is the only terminus without a reversing loop. An extension to Hillegossen is still included in long-term plans.*

④

① Luther-Kirche > Sieker Mitte
② Luther-Kirche
③ Roggenkamp
④ Stieghorst

Bereits 1902 eröffnet, ist die Strecke nach **Sieker** der Linie 2 eine der ältesten Strecken des Bielefelder Netzes und bis heute die am weitesten straßenbahnartige. Bis **Landgericht** fährt die Linie 2 zusammen mit der Linie 1 auf denselben Gleisen auf besonderem Bahnkörper. Ab dem nachfolgenden Abzweig liegt die Strecke dann komplett ohne eigenen Bahnkörper im Straßenraum der verkehrsreichen Detmolder Straße. Hochbahnsteige gibt es abgesehen von der gemeinsamen Station Landgericht bislang noch nicht.

Opened in 1902, the route to Sieker is one of the oldest tram routes in Bielefeld. It is also the closest thing to a conventional street tramway. Up to ***Landgericht*** *line 2 shares tracks with line 1. From the point where both lines diverge, line 2 runs entirely on-street along the busy Detmolder Straße to its terminus Sieker. The only high platforms can be found at Landgericht.*

① Rathaus
② Landgericht > Rathaus
③ Landgericht
④ August-Bebel-Straße > Landgericht

An der Endstation **Sieker** mit einer Endschleife, die im Uhrzeigersinn befahren wird, befindet sich der Betriebshof des Stadtbahnnetzes, welcher über eine kurze Betriebsstrecke auch von der Linie 3 von Sieker Mitte aus erreichbar ist. In Sieker besteht Anschluss zu weiterführenden Buslinien.
In den nächsten Jahren ist die Erneuerung der Linie 2 sowie der Ausbau einiger Haltestellen (Mozartstraße, Prießallee und Sieker) geplant. An der Endschleife wird dabei der Richtungssinn geändert, um die Eigenkreuzung der Gleise zu beseitigen.

The terminus Sieker is located next to the Stadtbahn depot and has a reversing loop, which is operated in a clockwise direction. The depot is also accessible from line 3 via a short service link from Sieker Mitte. At Sieker, transfer is provided to connecting buses.
An upgrade of the southern part of line 2 is planned for the near future, with high platforms being built at some of the stops (Mozartstraße, Prießallee and Sieker). The terminus loop will be rebuilt for anti-clockwise operation.

① Teutoburger Straße
② Mozartstraße
③④ Sieker

Die Strecke nach Senne entstand 1900 bis Brackwede als erste Bielefelder Straßenbahnstrecke überhaupt. 1912 wurde sie bis zum Sennefriedhof verlängert. Bis **Brackwede Bahnhof** verlaufen die Gleise auf eigenem Bahnkörper in Mittellage einer Hauptstraße. Hier entstanden bereits vor Eröffnung des Innenstadttunnels Ende der achtziger Jahre Hochbahnsteige. Das Ortszentrum von Brackwede wird zentral auf straßenbündiger Trasse durch einen verkehrsberuhigten Bereich durchquert. Hier wird es wohl langfristig keine Hochbahnsteige geben.

*In 1900, the route to Brackwede became part of Bielefeld's first tramway line, which was extended to Sennefriedhof in 1912. Up to **Brackwede Bahnhof**, tracks are laid along the middle strip of a major road, with high island platforms being built during the late 1980s before the city tunnel opened. Through the Brackwede town centre Stadtbahn trains run on-street along a road with low traffic. No high platforms can be expected here in the near future.*

① Landgericht > Adenauerplatz
② Adenauerplatz RS
③ Bethel CG
④ Brackwede Kirche CG

Der hintere Abschnitt der Strecke wurde 1979 von **Rosenhöhe** bis **Senne** auf unabhängigem Gleiskörper neu trassiert. In Senne gibt es seitdem eine große Verknüpfungsanlage mit großer Bedeutung für Umsteiger. Innerhalb der Endschleife, die von der Stadtbahn im Uhrzeigersinn befahren wird, befinden sich wie auch bei anderen Bielefelder Umsteigeknoten vorbildlich direkt an die Bahnsteige der Stadtbahn angegliederte Bushalteplätze. Die Stadtbahnplanungen sehen eine Verlängerung der Strecke in den Siedlungsschwerpunkt Sennestadt vor.

*The outer section from **Rosenhöhe** to **Senne** was diverted onto a new grade-separated alignment in 1979. A tram-to-bus interchange was established at the same time in Senne. Buses enter the Stadtbahn loop, which is operated clockwise, and stop next to the Stadtbahn trains, thus providing perfect transfer. Since the beginning of the Stadtbahn project an extension to Sennestadt has been planned.*

① Brackwede Kirche > Normannenstraße CG
② Senne > Sennefriedhof CG
③④ - Senne CG

BÜCHER

Höltge, Dieter: **Straßen- und Stadtbahnen in Deutschland, Band 4: Ruhrgebiet**. - 1994, EK-Verlag, Freiburg, ISBN 3882553340

Höltge, Dieter: **Straßen- und Stadtbahnen in Deutschland, Band 3: Westfalen (ohne Ruhrgebiet)**. - 1990, EK-Verlag, Freiburg, ISBN 3882553324

Guhl, Detlef: **Schnellverkehr in Ballungsräumen**. - 1975, Alba-Verlag, Düsseldorf

Blennemann, Friedhelm: **U-Bahnen und Stadtbahnen in Deutschland – Planung, Bau, Betrieb**. - 1975, Alba-Verlag, Düsseldorf

Nahverkehr an Rhein und Ruhr. - Straßenbahn Nahverkehr Special, GeraNova, ISBN 3897247062

Schenk, Michael: **Straßenbahnen im östlichen Ruhrgebiet**. - 2004, Sutton Verlag, ISBN 3897026848

BOGESTRA - Verbindungen 1896 - 1996. - 1996, Bogestra, Bochum

Zander, Bernd und Teppe, Fred: **Die Straßenbahnen in Dortmund 1881-1992**. - 1992, Alba Verlag, Düsseldorf, ISBN 3870943483

Bielefeld - Die Stadtbahn. Freie Bahn auf der ganzen Linie. - 1991, Verlagsges. Flamm Druck, Waldbröl, ISBN 3980269000

Kotte, Rainer: **Die Bielefelder Straßenbahn**. - 1989, Uhle & Kleimann, ISBN 3922657745

WEBSITES:

Verkehrsverbund Rhein-Ruhr (VRR) - www.vrr.de
Bochum-Gelsenkirchener Straßenbahnen AG (Bogestra) - www.bogestra.de
Stadtwerke Dortmund (DSW21) - www.dsw21.de - www.dsw21.info
Nahverkehr in Bochum, Gelsenkirchen, Herne, Dortmund - www.bus-und-bahn.de
moBiel - Stadtwerke Bielefeld - www.mobiel.de
Der Sechser (Verkehrsverbund in Ostwestfalen) - www.dersechser.de

UrbanRail.Net - www.urbanrail.net - www.u-bahnen-in-deutschland.de

BOOKS

Reihe 'Nahverkehr in Deutschland'

'Urban Transport in Germany' Series

Band 1 | Vol. 1
Robert Schwandl:

BERLIN U-BAHN ALBUM
Alle 192 Untergrund- und Hochbahnhöfe in Farbe
All 192 Underground & Elevated Stations in Colour

Jul 2002
ISBN 3 936573 01 8
144 Seiten | pages
17x24 cm
300 Farbfotos | colour photos
1 Netzplan | Network map
Text deutsch | English
14,50 EUR

Band 2 | Vol. 2

Robert Schwandl:

BERLIN S-BAHN ALBUM
Alle 170 S-Bahnhöfe in Farbe
All 170 S-Bahn Stations in Colour

April 2003, ISBN 3 936573 02 6
144 Seiten | pages, 17x24 cm
400 Farbfotos | colour photos
2 Netzpläne | Network maps
Text deutsch | English
14,50 EUR

Band 3 | Vol. 3
Robert Schwandl:

HAMBURG U-BAHN & S-BAHN ALBUM
Alle Schnellbahnhöfe der Hansestadt in Farbe
All Rapid Transit Stations in the Hanseatic City in Colour

Nov 2004, ISBN 3 936573 05 0
144 Seiten | pages, 17x24 cm
400 Farbfotos | colour photos
2 Netzpläne | Network maps
Text deutsch | English
19,50 EUR

Band 4 | Vol. 4
Christoph Groneck, Paul Lohkemper, Robert Schwandl:

RHEIN-RUHR STADTBAHN ALBUM 1
Düsseldorf, Duisburg, Oberhausen, Mülheim & Essen
Light Rail Networks in the Rhine-Ruhr Area - Vol. 1

April 2005, ISBN 3 936573 06 9
144 Seiten | pages, 17x24 cm
400 Farbfotos | colour photos
4 Netzpläne | Network maps
Gleispläne | Track maps
Text deutsch | English
19,50 EUR

Band 5 | Vol. 5
Christoph Groneck, Paul Lohkemper, Robert Schwandl:

RHEIN-RUHR STADTBAHN ALBUM 2
Gelsenkirchen, Bochum, Herne, Dortmund
+ *Special* Bielefeld
Light Rail Networks in the Rhine-Ruhr Area - Vol. 2

Mai | May 2006, ISBN 3 936573 08 5
144 Seiten | pages, 17x24 cm
400 Farbfotos | colour photos
5 Netzpläne | Network maps
4 Gleispläne | Track maps
Text deutsch | English
19,50 EUR

Band 6 | Vol. 6

Christoph Groneck:

KÖLN/BONN STADTBAHN ALBUM
The Cologne/Bonn Light Rail Network

Dez. 2005, ISBN 3 936573 07 7
144 Seiten | pages, 17x24 cm
350 Farbfotos | colour photos
3 Netzpläne | Network maps
Text deutsch | English
19,50 EUR

Band 7 | Vol. 7

Robert Schwandl:

HANNOVER STADTBAHN ALBUM
The Hanover Light Rail Network

Aug. 2005, ISBN 3 936573 10 7
144 Seiten | pages, 17x24 cm
400 Farbfotos | colour photos
3 Netzpläne | Network maps
Text deutsch | English
19,50 EUR

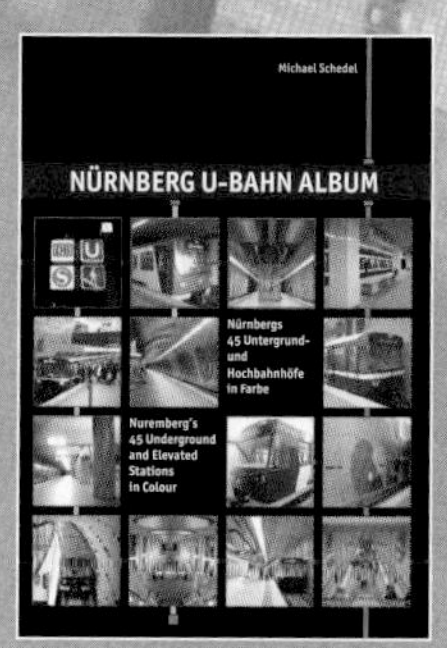

Band 8 | Vol. 8

Michael Schedel:

NÜRNBERG U-BAHN ALBUM
Nürnbergs 45 Untergrund- und Hochbahnhöfe in Farbe
Nuremberg's 45 Underground and Elevated Stations in Colour

Herbst | Autumn 2006, ISBN 3 936573 11 5
96 Seiten | pages, 17x24 cm
300 Farbfotos | colour photos
2 Netzpläne | Network maps
Gleispläne | Track maps
Text deutsch | English
ca. 17,50 EUR

Weitere Informationen und Musterseiten finden Sie unter | *More details and sample pages are available at*

www.robert-schwandl.de

Unsere Bücher erhalten Sie in unserem Online-Shop | *Our books are available from our online shop*

www.schwandl.com

BAHNHÖFE

Bahnhofsname * *Station Name* *	Stadt *City*	Eröffnungsdatum *Opening Date*	Linien (2006) *Lines*	Seite *Page*
Archäologie-Museum/Kreuzkirche	Herne	02-09-1989	U35	48
Barop Parkhaus	Dortmund	20-03-2005	U42	103
Beckhausstraße	Bielefeld	21-09-1971	2	132
Bergwerk Consolidation	Gelsenkirchen	29-05-1994	301	24
Berninghausstraße	Herne	02-09-1989	U35	49
Bielefeld Hauptbahnhof	Bielefeld	28-04-1991	1 2 3 4	125
Bismarckstraße	Gelsenkirchen	29-05-1994	301	25
Bochum Hauptbahnhof (oben)	Bochum	26-05-1979	306 308 318	44
Bochum Hauptbahnhof (unten)	Bochum	02-09-1989	U35 302 310	35, 54
Bochum Rathaus **	Bochum	29-01-2006	306	41
Bochum Rathaus (Nord)	Bochum	02-09-1989	U35	53
Bochum Rathaus (Süd)	Bochum	29-01-2006	302 310	34
Bochumer Verein/Jahrhunderthalle Bochum	Bochum	29-01-2006	302 310	33
Brenscheder Straße **	Bochum	27-11-1993	U35	56
Brügmannplatz	Dortmund	26-09-1992	U42 U46	98
Brunnenstraße	Dortmund	26-09-1992	U42 U46	97
Clarenberg	Dortmund	27-05-1983	U41	91
Deutsches Bergbau-Museum	Bochum	02-09-1989	U35	52
Dortmund Hauptbahnhof	Dortmund	03-06-1984	U41 U45 U47 U49	81
Droote	Dortmund	15-05-1976	U42	94
Engelbert-Brunnen/Bermudadreieck	Bochum	26-05-1979	308 318	43
Feldsieper Straße	Bochum	02-09-1989	U35	52
Flughafenstraße	Dortmund	15-05-1976	U42	95
Franz-Zimmer-Siedlung **	Dortmund	15-05-1976	U42	96
Gelsenkirchen Hauptbahnhof	Gelsenkirchen	01-09-1984	107 301 302	27
Gleiwitzstraße	Dortmund	15-05-1976	U42	95
Grevel	Dortmund	15-05-1976	U42	94
Hacheney	Dortmund	03-06-1984	U49	88
Hafen **	Dortmund	10-06-1991	U47 (U49)	79
Hauptfriedhof	Dortmund	06-12-2003	U47	93
Heinrich-König-Platz	Gelsenkirchen	01-09-1984	107 301 302	27
Herne Bahnhof	Herne	02-09-1989	U35	47
Herne Mitte	Herne	02-09-1989	U35	47
Hölkeskampring	Herne	02-09-1989	U35	49
Hörde Bahnhof	Dortmund	27-05-1983	U41	91
Hustadt	Bochum	27-11-1993	U35	57
Jahnplatz	Bielefeld	28-04-1991	1 2 3 4	124
Kampstraße (oben)	Dortmund	03-06-1984	U41 U45 U47 U49	84
Kampstraße (unten)	Dortmund	(2008)		108
Karl-Liebknecht-Straße	Dortmund	24-08-1986	U41	89
Kirchderne	Dortmund	15-05-1976	U42	95
Kreuzstraße	Dortmund	16-06-2002	U42	101
Leipziger Straße	Gelsenkirchen	29-05-1994	301	26
Lennershof	Bochum	27-11-1993	U35	57
Leopoldstraße	Dortmund	03-06-1984	U41 U47 (U49)	81
Lohring	Bochum	29-01-2006	302 310	36

Bahnhofsname * *Station Name **	**Stadt** *City*	**Eröffnungsdatum** *Opening Date*	**Linien** (2006) *Lines*	**Seite** *Page*
Markgrafenstraße	Dortmund	03-06-1984	U41 U45 U47 U49	85
Märkische Straße	Dortmund	24-08-1986	U41 U47	89
Markstraße	Bochum	27-11-1993	U35	56
Möllerbrücke	Dortmund	16-06-2002	U42	101
Münsterstraße	Dortmund	03-06-1984	U41	[illegible]
Musiktheater (oben) **	Gelsenkirchen	01-09-1984	107 302	29
Musiktheater (unten)	Gelsenkirchen	29-05-1994	301	26
Nordpark	Bielefeld	28-04-1991	3	128
Oskar-Hoffmann-Straße	Bochum	27-11-1983	U35	55
Ostentor	Dortmund	(2008)		109
Planetarium	Bochum	28-11-1981	308 (318)	45
Polizeipräsidium	Dortmund	28-05-1996	U46	104
Rathaus **	Bielefeld	28-04-1991	1 2 3 4	124
Reinoldikirche (oben)	Dortmund	(2008)		109
Reinoldikirche (unten)	Dortmund	26-09-1992	U42 U46	98
Remydamm **	Dortmund	27-05-1990	U45	86
Rensingstraße	Bochum	02-09-1989	U35	50
Rheinelbestraße **	Gelsenkirchen	01-09-1984	302	30
Riemke Markt	Bochum	02-09-1989	U35	51
Rombergpark	Dortmund	03-06-1984	U49	88
Rudolf-Oetker-Halle	Bielefeld	02-04-2000	4	126
Ruhr-Universität	Bochum	27-11-1993	U35	57
Saarlandstraße	Dortmund	28-05-1996	U46	104
Scharnhorst Zentrum	Dortmund	15-05-1976	U42	94
Schauspielhaus	Bochum	26-05-1979	308 318	43
Schloss Strünkede	Herne	02-09-1989	U35	46
Schützenstraße	Dortmund	03-06-1984	U47 (U49)	80
Siegfriedplatz	Bielefeld	02-04-2000	4	126
Stadion	Dortmund	27-05-1990	(U45) (U46)	87
Stadtgarten (oben)	Dortmund	03-06-1984	U41 U45 U47 U49	84
Stadtgarten (unten)	Dortmund	26-09-1992	U42 U46	99
Stadthaus	Dortmund	03-06-1984	U41 U45 U47 U49	85
Städtische Kliniken	Dortmund	01-04-1995	U42	100
Trinenkamp	Gelsenkirchen	29-05-1994	301	24
Unionstraße	Dortmund	(2008)		107
Waldring	Bochum	27-11-1993	U35	55
Wasserstraße **	Bochum	27-11-1993	U35	56
Westentor	Dortmund	(2008)		107
Westerfilde	Dortmund	23-08-1993	U47	78
Westfalenhallen	Dortmund	21-05-1998	U45 U46	105
Westfalenpark	Dortmund	03-06-1984	U45 U49	86
Willem-van-Vloten-Straße	Dortmund	24-08-1986	U41	90
Wittekindstraße	Bielefeld	28-04-1991	3	128
Zeche Constantin	Bochum	02-09-1989	U35	51
ZOOM-Erlebniswelt **	Gelsenkirchen	29-05-1994	301	23

* nur u-bahnmäßig ausgebaute Stationen aufgelistet | *only metro-like stations listed*
** Station mit Fußgängerübergang mindestens an einem Bahnsteigende | *station with pedestrian crossing at least at one end of the platform*

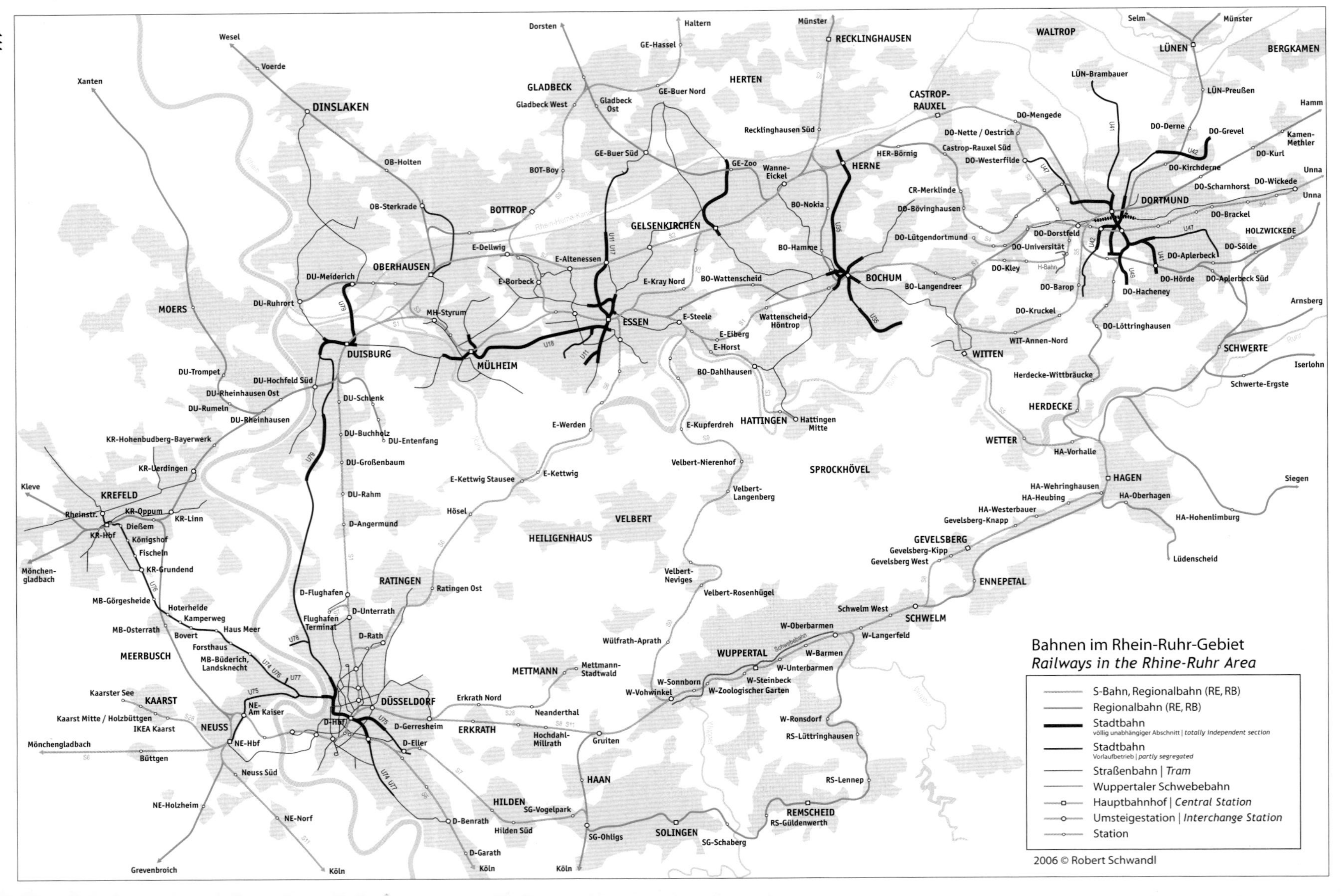

Bahnen im Rhein-Ruhr-Gebiet
Railways in the Rhine-Ruhr Area
S-Bahn, Regionalbahn (RE, RB)
Regionalbahn (RE, RB)
Stadtbahn
völlig unabhängiger Abschnitt | totally independent section
Stadtbahn
Vorlaufbetrieb | partly segregated
Straßenbahn | Tram
Wuppertaler Schwebebahn
Hauptbahnhof | Central Station
Umsteigestation | Interchange Station
Station
2006 © Robert Schwandl
DINSLAKEN
GLADBECK
HERTEN
RECKLINGHAUSEN
CASTROP-RAUXEL
WALTROP
LÜNEN
BERGKAMEN
DORTMUND
HOLZWICKEDE
SCHWERTE
HERNE
BOCHUM
WITTEN
HERDECKE
WETTER
HAGEN
GELSENKIRCHEN
BOTTROP
OBERHAUSEN
ESSEN
MÜLHEIM
DUISBURG
MOERS
KREFELD
MEERBUSCH
KAARST
NEUSS
DÜSSELDORF
ERKRATH
RATINGEN
HATTINGEN
SPROCKHÖVEL
VELBERT
HEILIGENHAUS
METTMANN
WUPPERTAL
GEVELSBERG
ENNEPETAL
SCHWELM
HAAN
HILDEN
SOLINGEN
REMSCHEID